図解 消費税法

超入門 ［令和6年度 改正］

税理士法人 山田＆パートナーズ 監修

加藤 友彦 編著

税務経理協会

はしがき

　消費税は平成元年に導入され，以後様々な改正が行われ制度の整備がされています。特に近年においては社会保障と税の一体改革に基づく消費税法の改正による税率の引上げが高い注目を集めています。令和元年10月に実施された税率10%への引上げに際しては飲食料品等に対する軽減税率が導入されるなど，世間一般においても大きな話題となっています。

　また，令和5年10月1日からは，仕入税額控除の方式として適格請求書等保存方式（いわゆるインボイス方式）が導入されました。制度導入前において事業者が行った課税仕入れに係る消費税については，相手方を問わず仕入税額控除を適用することができましたが，制度導入後は原則として，所定の登録を受けた事業者から交付されたインボイスを保存しなければ仕入税額控除を行うことができません。消費税の納税義務のない事業者はインボイスを交付することができませんので，制度導入により，売り手で納税していないにもかかわらず買い手で仕入税額控除を適用するといった取引の不整合が解消されることになりました。消費税は，消費者が負担する税金ですが，消費者が直接納税を行うのではなく，消費者から消費税を預かった事業者が納税する，いわゆる間接税となります。消費税の申告制度においては，事業者の事務負担や税負担を考慮して，売上高基準等による免税措置を設けていますが，その結果として，消費者が負担した消費税が事業者の利益となってしまうことについて，制度上の課題として指摘されていました。消費税率の引上げという大きな改正に伴い，インボイス制度導入による課税の強化が図られることで，消費税という税金に対する不透明感を解消することが期待されています。

　一方で，これらの改正によって，従来の計算方法と比べ厳密な計算や複雑な判定が求められるようになります。つまり，実務上における負担も増すことに

なります。作業的な手間としての負担もありますが，さまざまな取扱いの中で判断が必要とされる場面が増え，今まで以上の知識が必要とされるようになります。

　本書は，このような制度改正を踏まえつつ，初めて消費税を学ばれる方にも理解していただけるように，また，すでにある程度の基礎的な知識を有する方にも役立つように，消費税制度の全体についてできるだけ平易に解説し，必要に応じて図解するなどして，ご理解を戴けるようにと努めました。本書によって企業の経理担当者の方や消費税の実務に携わる方々が，消費税についての理解を深め，申告などの実務に必要な知識を身に付けていただければ幸いです。

　末筆になりましたが，本書の作成，発刊にあたり多大なご尽力を頂きました税務経理協会の皆様にこの場をお借りして深く御礼申し上げます。

　令和6年7月

税理士法人　山田＆パートナーズ

税理士　加藤　友彦

目　　次

はしがき

第1章　消費税のあらまし

第1節　消費税の基本的仕組み ……………………………………… 1
1．消費税の性格は"間接税" …………………………………… 1
2．消費税の税率 ………………………………………………… 1
3．納付税額の計算方法 ………………………………………… 3
第2節　消費税の計算の仕組み　(1)原則計算 ………………… 4
1．計算の仕組み ………………………………………………… 4
2．「預かった消費税額」よりも「支払った消費税額」が多い場合 …… 5
3．原則計算では帳簿や請求書等の保存が必須 …………………… 5
4．原則計算は事務負担が大きい ……………………………… 6
第3節　消費税の計算の仕組み　(2)簡易課税制度 …………… 7
1．概　　要 ……………………………………………………… 7
2．簡易課税制度を選択できる納税者 ………………………… 8
3．簡易課税制度の問題点と適用対象の縮減 …………………… 8

第2章　国内取引に係る消費税

第1節　課税対象 ……………………………………………………… 9
1．課税対象 ……………………………………………………… 9
2．消費税の非課税 ……………………………………………17
3．輸出免税等 …………………………………………………29

2

第2節　納税義務者 ……………………………………………………… 35

  1．納税義務者 ……………………………………………………… 35

  2．基準期間の課税売上高による納税義務の判定 ……………… 38

  3．適格請求書発行事業者となる場合の納税義務 ……………… 42

  4．課税事業者の選択の手続き …………………………………… 44

  5．特定期間の課税売上高による納税義務の判定 ……………… 46

  6．相続があった場合の納税義務の判定 ………………………… 48

  7．合併があった場合の納税義務の判定 ………………………… 52

  8．分割等があった場合の納税義務の免除の特例 ……………… 54

  9．新設法人の納税義務の免除の特例 …………………………… 60

  10．特定新規設立法人の納税義務の免除の特例 ………………… 62

  11．高額特定資産を取得した場合等の納税義務の免除の特例 ………… 63

第3節　納　税　地 ……………………………………………………… 65

  1．概　　要 ………………………………………………………… 65

  2．個人事業者の納税地 …………………………………………… 65

  3．法人の納税地 …………………………………………………… 66

  4．納税地の指定 …………………………………………………… 66

  5．納税地の異動の届出 …………………………………………… 67

第4節　課　税　期　間 ………………………………………………… 67

  1．個人事業者の課税期間 ………………………………………… 67

  2．法人の課税期間 ………………………………………………… 72

第5節　資産の譲渡等の時期 …………………………………………… 77

  1．納税義務の成立時期 …………………………………………… 77

  2．資産譲渡等の時期の原則 ……………………………………… 78

  3．リース譲渡に係る資産の譲渡等の時期の特例 ……………… 80

  4．工事の請負に係る資産の譲渡等の時期の特例 ……………… 83

  5．小規模事業者に係る資産の譲渡等の時期等の特例（現金主義）…… 87

第6節　課税標準および税率 ……………………………………88

　1．課　税　標　準……………………………………………88

　2．税　　　　　率……………………………………………93

第7節　税額控除等 ………………………………………………95

　1．仕入税額控除 ……………………………………………95

　2．仕入れに係る対価の返還等を受けた場合の仕入税額控除額の調整 …117

　3．課税売上割合が著しく変動した場合の調整 …………118

　4．課税業務用から非課税業務用に転用した場合等の調整 …………127

　5．居住用賃貸建物を課税賃貸用に供した場合等の

　　　仕入れに係る消費税額の調整 …………………………130

　6．免税事業者が課税事業者となる場合等の棚卸資産に係る

　　　消費税額の調整 …………………………………………131

第8節　簡易課税制度およびインボイス制度開始後の

　　　小規模事業者に係る特例……………………………………134

　1．簡易課税制度の概要 ……………………………………134

　2．簡易課税制度の対象となる事業者 ……………………135

　3．消費税簡易課税制度選択届出書の効力 ………………137

　4．簡易課税制度を取りやめる場合 ………………………141

　5．みなし仕入率 ……………………………………………143

　6．事業区分の判定 …………………………………………145

　7．インボイス制度開始後の小規模事業者に係る特例 …………148

第9節　売上げに係る対価の返還等をした場合の消費税額

　　　の控除………………………………………………………152

　1．売上げに係る対価の返還等をした場合 ………………152

　2．控除税額の算出方法 ……………………………………153

　3．適　用　要　件 …………………………………………153

　4．インボイス制度導入後の取扱い ………………………154

第10節　特定課税仕入れに係る対価の返還等を受けた場合の
　　　　消費税額の控除 ……………………………………………154

　　1．特定課税仕入れに係る対価の返還等を受けた場合 ……………154

　　2．控除税額の算出方法 ……………………………………………155

　　3．適　用　要　件 …………………………………………………155

第11節　貸倒れに係る消費税額の控除 ………………………………156

　　1．制度の概要 ………………………………………………………156

　　2．控除税額の算出方法 ……………………………………………157

　　3．適　用　要　件 …………………………………………………157

　　4．貸倒れ回収額に係る消費税額 …………………………………157

　　5．免税事業者であった課税期間における売掛金等の貸倒れ ………157

第12節　申　　　　告 …………………………………………………158

　　1．確　定　申　告 …………………………………………………158

　　2．中　間　申　告 …………………………………………………160

　　3．電子情報処理組織による申告の特例 …………………………163

第13節　国，地方公共団体に対する特例 …………………………164

　　1．制度の概要 ………………………………………………………164

　　2．事業単位の特例 …………………………………………………165

　　3．資産の譲渡等の時期の特例 ……………………………………166

　　4．仕入税額控除に係る特例 ………………………………………167

　　5．申告期限等の特例 ………………………………………………169

第14節　総　額　表　示 ………………………………………………170

　　1．総額表示の義務付け ……………………………………………170

　　2．総額表示の記載方法 ……………………………………………170

第3章　輸入取引に係る消費税

第1節　輸入取引に係る納税義務者 ……………………………………175

　1．課税の対象 …………………………………………………………175

　2．納税義務者 …………………………………………………………176

第2節　非課税となる輸入取引……………………………………………177

第3節　輸入取引の納税地 …………………………………………………178

第4節　輸入取引に係る課税標準および税率 ……………………………178

　1．課税標準 …………………………………………………………178

　2．税　　率 …………………………………………………………178

第5節　輸入取引に係る申告および納付 ………………………………179

　1．申告納税方式が適用される課税貨物 ……………………………179

　2．賦課課税方式が適用される課税貨物 ……………………………180

第4章　地方消費税

第1節　消費税（国税）と地方消費税 ……………………………………183

第2節　地方消費税の納税義務者…………………………………………183

　1．国内取引に係る地方消費税（譲渡割） …………………………183

　2．輸入取引に係る地方消費税（貨物割） …………………………183

第3節　地方消費税の税額計算 ……………………………………………184

第4節　地方消費税の申告および納付 ……………………………………184

第5章　消費税等の経理処理

第1節　経理処理の方式 ……………………………………………………185

　1．概　　要 …………………………………………………………185

　2．税込方式 …………………………………………………………185

3．税 抜 方 式 ……………………………………………………185

4．税込方式と税抜方式の併用 ……………………………………186

5．税込方式と税抜方式の違い ……………………………………186

6．令和 5 年10月 1 日以後における適格請求書発行事業者以外の者

から課税仕入れを行った場合の経理処理 ………………………187

第 2 節　控除対象外消費税額等 …………………………………………189

1．控除対象外消費税額等とは ……………………………………189

2．控除対象外消費税額等の取扱い ………………………………190

3．控除対象外消費税額等の取扱いを設けている理由 ……………192

第 3 節　消費税等の納付・還付の処理 …………………………………194

1．納付する場合の経理方法 ………………………………………194

2．還付を受ける場合の経理方法 …………………………………195

3．消費税等の計上時期 ……………………………………………196

『第1章』

消費税のあらまし

第1節　消費税の基本的仕組み

1．消費税の性格は"間接税"

　消費税は事業者が販売する商品やサービスの価格に上乗せされており，最終的に商品を使う人やサービスの提供を受ける人（消費者）が消費税を負担しています。しかし，消費者が直接納税するのではなく，国内の個人事業者・法人が，消費者から預かった消費税を納税します。このように税金の負担者と実際の納税者が異なる税金を間接税といいます。また，所得税や法人税のように税金の負担者と実際の納税者が同じである税金を直接税といいます。

　消費税は，消費一般に広く課税するものであり，国内で行われる取引の大半が課税の対象となっています。

2．消費税の税率

　消費税の税率は，複数税率です。

　標準税率は，消費税率（国税）が7.8％，地方消費税率が2.2％（消費税率7.8％の22／78）であり，合わせて10％です。

　軽減税率は，消費税率（国税）が6.24％，地方消費税率が1.76％（消費税率6.24％の22／78）であり，合わせて8％です。

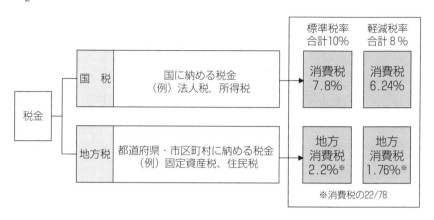

　消費税の税率は，社会保障と税の一体改革に伴う消費税法の一部改正（平成24年8月10日成立）により，5％（消費税率（国税）4％，地方消費税率1％）から8％（消費税率（国税）6.3％，地方消費税率1.7％）に引き上げられました。8％の税率は平成26年4月1日から適用されました。

　令和元年10月1日からさらに10％（消費税率（国税）7.8％，地方消費税率2.2％）に引き上げられています。消費税率10％への引上げにあわせて，酒類および外食等を除く一定の飲食料品，および，定期購読契約の締結された週2回以上発行される一定の新聞については，軽減税率8％（消費税率（国税）6.24％，地方消費税率1.76％）が適用されています。税率とその適用時期をまとめると次のとおりです。

適用時期	税　　　率
平成9年4月1日	5％（消費税率4％，地方消費税率1％）
平成26年4月1日	8％（消費税率6.3％，地方消費税率1.7％）
令和元年10月1日	〈標準税率〉 10％（消費税率7.8％，地方消費税率2.2％） 〈軽減税率〉 8％（消費税率6.24％，地方消費税率1.76％）

3．納付税額の計算方法

　消費税（国税）の納付税額は，原則として「売上げにより預かった消費税額」と「仕入れ等により支払った消費税額」の差額により計算します。

　「売上げにより預かった消費税額」は，課税期間中の売上げの合計額（税抜）に消費税率（7.8%）を乗じて計算しますが，土地の譲渡価額のように消費税が課税されていないものは，課税期間中の売上げの合計額には含めません。

　「仕入れ等により支払った消費税額」の計算方法には，原則計算（実際の仕入れ等の額を基に消費税額を計算する方法）と簡易課税方式（実際の仕入れ等の額とは関係なく，売上げ等の額を基に消費税額を計算する方法）があります。

　なお，地方消費税は，消費税（国税）の納付税額に22／78を乗じて納付税額の計算をし，消費税（国税）と一緒に申告・納税します。

納付税額の計算方法

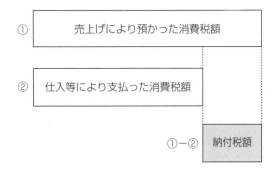

① 売上げにより預かった消費税額

② 仕入等により支払った消費税額

①－② 納付税額

支払った消費税の計算方法

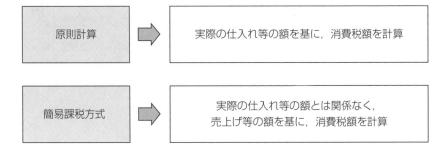

原則計算 ⇒ 実際の仕入れ等の額を基に，消費税額を計算

簡易課税方式 ⇒ 実際の仕入れ等の額とは関係なく，売上げ等の額を基に，消費税額を計算

第2節　消費税の計算の仕組み　(1)原則計算

1．計算の仕組み

　消費税（国税）の納付税額は，「売上げにより預かった消費税額」から「仕入等により支払った消費税額」をマイナスして計算します。

　「仕入れ等により支払った消費税額」は実際の仕入れ等の額を基に計算するのが原則です。この場合，まず始めに，仕入れ・経費・設備投資額等の金額を消費税込みで集計しますが，給与・支払保険料・土地の購入代金のように消費税が課税されていないものは除いて集計します。その後，仕入れ等の税込金額の合計額に110分の7.8を乗じて，「仕入れ等により支払った消費税額」を計算します。

─┈＜具体例＞┈─

　仕入れ1,980万円，販売費一般管理費1,730万円（内給与630万円，その他はすべて消費税の課税取引），車両の購入220万円の場合（税込金額）

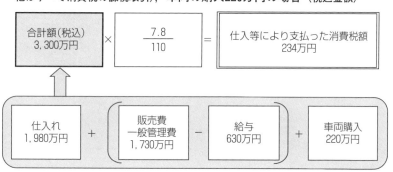

　仕入れ，販売費および一般管理費，車両の購入代金から消費税が課税されない給与を控除して支払った消費税額を計算します。

2．「預かった消費税額」よりも「支払った消費税額」が多い場合

　「売上げにより預かった消費税額」よりも「仕入れ等により支払った消費税額」が多い場合には，差額に相当する金額は還付されます。例えば，「預かった消費税額」が20万円，「支払った消費税額」が30万円であれば，10万円が還付されることになります。

3．原則計算では帳簿や請求書等の保存が必須

　仕入れ等に対する消費税を原則計算によって計算する場合には，帳簿および請求書等（請求書・納品書・領収書等）を保存しなければなりません。

　消費税の税率が複数税率となったため，帳簿および請求書等の保存については従来の請求書等保存方式に代えて，令和元年10月1日から区分記載請求書等保存方式が導入されました。

　また，令和5年10月1日からは区分記載請求書等保存方式に代えて，適格請求書等保存方式（いわゆるインボイス制度）が導入されます。インボイスとは複数税率下で正確な消費税計算を行うために必要な事項（適用税率，消費税額等）が記載された請求書等です。インボイス制度とは「支払った消費税額」を控除するためには，原則としてインボイスの保存が必要とされる制度です。

　区分記載請求書等保存方式およびインボイス制度においては，下記の事項を帳簿に記載しなければなりません。

　①　仕入れ等の相手方の氏名または名称

　②　仕入れ等を行った年月日

　③　仕入れ等に係る資産または役務の内容（軽減税率対象品目である旨）

　④　仕入れ等に係る支払対価の額

　（区分記載請求書等保存方式およびインボイス制度における請求書等の記載事項については第2章第7節1(6)④軽減税率導入による措置参照）

4．原則計算は事務負担が大きい

　原則計算の場合，仕入れや経費等のすべてについて消費税の課税対象かどうか区分し，請求書等取引関係の書類をきちんと保存する必要があります。このため，納税者にとって事務負担が大きいという問題があります。

第3節　消費税の計算の仕組み　(2)簡易課税制度

1．概　　要

　「仕入れ等により支払った消費税額」は実際の仕入れ等の額を基に計算するのが原則です。しかし，原則計算の計算方法は複雑であり，多くの場合面倒な作業が必要です。特に小規模な納税者にとっては負担が大きくなるケースが想定されるため，その負担を軽くするために簡易課税制度が設けられています。

　簡易課税制度では「売上げにより預かった消費税額」に一定の割合（みなし仕入率）を乗じて「仕入れ等により支払った消費税額」を計算します。すなわち，消費税が課税されている売上げさえ把握できれば，消費税の納付税額を計算できるため，納税者の事務負担を軽減することができます。

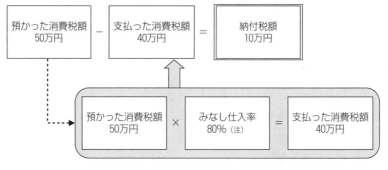

＜具体例＞

小売業を営んでいる課税事業者が，売上げにより預かった消費税額が50万円であった場合

　簡易課税制度の計算は，実際の仕入れ等の金額とは関係なく，売上げにより預かった消費税額を基に，納付税額を計算します。

| 預かった消費税額 50万円 | － | 支払った消費税額 40万円 | ＝ | 納付税額 10万円 |

| 預かった消費税額 50万円 | × | みなし仕入率 80%（注） | ＝ | 支払った消費税額 40万円 |

（注） みなし仕入率は，業種によって40%〜90%に定められています。
　　　小売業を営んでいる場合には，80%となります。

2．簡易課税制度を選択できる納税者

簡易課税制度を選択することができるのは，基準期間（消費税の納税義務の有無等を判断する基準となる期間）の課税売上高が5,000万円以下の納税者です。

ただし，事前に税務署に届出をする必要があり，一旦届出をすると2年間は原則計算への変更ができません。また簡易課税制度を選択していた納税者が原則計算に変更する場合にも，届出が必要です。

3．簡易課税制度の問題点と適用対象の縮減

簡易課税制度では，最終的に消費者が負担している消費税の額と，納税者が納付する消費税額は一致せず，多くの場合，差額相当額は雑収入として納税者の利益となっています。実際，納税者の多くは，「事務負担が軽くなるから」ではなく，「納税額が少なくなるから」という理由で簡易課税制度を選択しており，社会的に問題視されています。

このため，簡易課税制度を選択できる納税者の基準は，税制改正により少しずつ厳しくなっており，消費税が新設された当時と比べて，かなり制限されています。

制限基準の変化

適　用　時　期	簡易課税を選択できる納税者の基準期間の課税売上高の上限	
消費税が新設された当時	5億円	
（法人）平成3年10月1日以後開始事業年度～ （個人）平成4年1月1日～	4億円	
（法人）平成9年4月1日以後開始事業年度～ （個人）平成9年1月1日～	2億円	基準が 厳しく
（法人）平成16年4月1日以後開始事業年度～ （個人）平成17年1月1日～	5,000万円	

『第2章』

国内取引に係る消費税

第1節　課税対象

1．課税対象 (法2①二・八の二〜八の五・十，4①②，令2の2)

消費税は次の2つの取引を対象に課税されます。

① 国内で行われる取引

　(イ)　資産の譲渡等（特定資産の譲渡等を除く）

　(ロ)　特定仕入れ

（注1）　特定資産の譲渡等

事業者向け電気通信利用役務の提供および特定役務の提供をいいます。

（注2）　事業者向け電気通信利用役務の提供

国外事業者が行う電気通信利用役務の提供（インターネット等を介して行われる電子書籍・音楽・広告の配信などの役務の提供）のうち，その役務の性質または取引条件等からその役務の提供を受ける者が通常事業者に限られるものをいいます。

（注3）　特定役務の提供

国外事業者が他の事業者に対して行う芸能・スポーツ等の役務の提供をいいます。

（注4）　特定仕入れ

事業として他の者から受けた特定資産の譲渡等をいいます。

② 輸入取引

保税地域から引き取られる外国貨物

（注5）　保税地域

特定の場所や施設で外国貨物の保管・加工・製造・展示・運送等を許可す

る制度を保税地域制度といい，この特定の場所や施設を，保税地域といいます。具体的には港湾施設や税関長が許可する倉庫等です。

(注6) 外 国 貨 物

外国貨物とは，次のいずれかをいいます。

① 輸出の許可を受けた貨物

② 外国から本邦に到着した貨物で，輸入が許可される前のもの

(1) 国内で行われる取引（資産の譲渡等）(法2①八，4①)

国内で，事業者が事業として対価を得て行う資産の譲渡・貸付け・役務の提供(以下「資産の譲渡等」)は，消費税の課税対象取引となります。整理すると，以下の4つの要件に当てはまる取引となります。

① 国内で行うものであること

② 事業者が事業として行うものであること

③ 対価を得て行うものであること

④ 資産の譲渡等であること

国内で行う資産の譲渡等に係る取引の課税対象の判定フローチャート

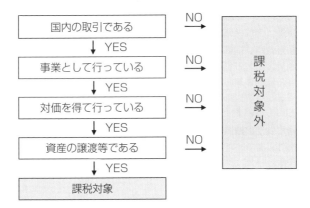

なお，それぞれの要件についての注意点は，以下のとおりです。

① 国内で行うもの (法4①③④)

国内で行われたかどうかは，資産の譲渡または貸付けについては，その資産が所在していた場所が国内かどうかによって判断されます。役務の提

供については，その提供が行われた場所が国内かどうかによって判断されます。役務の提供のうち，電気通信利用役務の提供については，電気通信利用役務の提供を受ける者の住所地等により判断されます。

　船舶や航空機，有価証券などの譲渡や，通信などの役務提供については，国内取引かどうかを判定することが難しいため，より細かい取り決めがあります。

《国内取引の判定の一例》（令6①三，七，九イ〜ハ・ヘ，②二，六）

㈑　資産の譲渡・貸付け

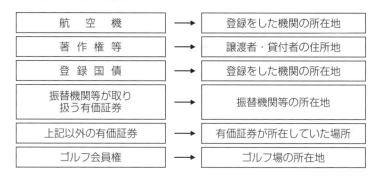

㈨　役務の提供

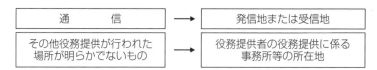

《電気通信利用役務の提供に係る国内取引の判定》

　インターネット等を通じた電子書籍や音楽の配信等に関する役務の提供（電気通信利用役務の提供）については，電気通信利用役務の提供を受ける者の住所地等が国内かどうかによって判断されます。

(イ)　国外事業者が国内の消費者に電気通信利用役務の提供を行う場合

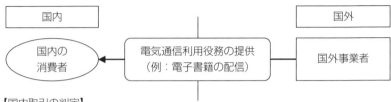

【国内取引の判定】
役務の提供を受ける消費者の住所地等が国内のため国内取引に該当する（課税対象）

(ロ)　国内事業者が国外の消費者に電気通信利用役務の提供を行う場合

【国内取引の判定】
役務の提供を受ける消費者の住所地等が国外のため国内取引に該当しない（課税対象外）

② **事業者が「事業として」行うもの** (基通5-1-1)

　「事業として」とは，対価を得て行われる資産の譲渡・貸付け，役務の
提供が，反復・継続的に行われている状態をいいます。事業者は，個人事
業者と法人のいずれも含みます。

　また，個人事業者が事業に関係のない資産（事業に使用していない自家用車
など）を譲渡等する場合には，「事業として」には該当しません。

事業として行うものの判定

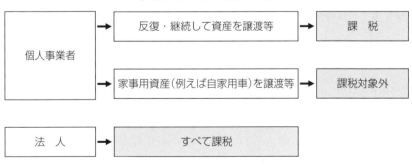

③　**対価を得て行うもの** (法4⑤，基通5－1－2，5－2－4，5－5－3)

　　「対価を得て」というのは，何らかの資産ないし利益を得てという意味ですから，無償で資産の譲渡・貸付け・役務の提供を行った場合には，課税の対象とはなりません。また，組合の通常会費や保険金の受取り等も，対価を得ていることに該当せず，課税の対象となりません。

対価を得て行うものの判定フローチャート

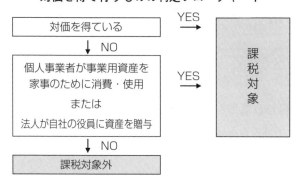

　　ただし，個人事業者が事業用資産を事業以外の目的で個人使用した場合，法人が自社の役員に対して資産を贈与した場合は，対価を得たとみなされて，課税の対象となります。

④　**資産の譲渡等**

㈡　**資産の譲渡** (基通5－1－3)

　　資産の譲渡には，商品の販売等のほかにも，事業用設備の売却や特許権等の無形固定資産の売却も含まれます。

㈣　**資産の貸付け** (法2②，令1③)

　　不動産の賃貸や物品のレンタルなどが資産の貸付けにあたります。資産そのものだけでなく，資産を使用する権利を貸し付けた場合でも，消費税の課税対象です。ただし，電気通信利用役務の提供に該当するものを除きます。

㈥　**役務の提供** (基通5－5－1)

　　役務の提供とは，修繕・運送・飲食等サービスを提供することをいいま

す。その他にも弁護士のような専門知識・技能を提供することも，役務の提供にあたり，課税の対象となります。

(ニ)　**資産の譲渡等に該当しない取引の例** (基通5－2－4，－8，－14)

資産の譲渡等に該当するかの判定で，注意が必要な一例を以下に示します。

保険金の受取り	→	資産の譲渡等に該当しない
株式の配当の受取り	→	資産の譲渡等に該当しない
寄附金の受取り	→	資産の譲渡等に該当しない

(2)　**国内で行われる取引（特定仕入れ）** (法4①④，法2①八の二～八の五)

国内において事業者が行った特定仕入れは消費税の課税対象となります。特定仕入れとは事業として他の者から受けた特定資産の譲渡等をいい，特定資産の譲渡等とは，「事業者向け電気通信利用役務の提供」と「特定役務の提供」のことをいいます。

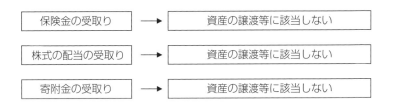

特定仕入れ	＝	事業として他の者から受けた「特定資産の譲渡等」

特定資産の譲渡等

事業者向け電気通信利用役務の提供	特定役務の提供
…国外事業者が行う電気通信利用役務の提供(注)のうち，その役務の性質または取引条件等からその役務の提供を受ける者が通常事業者に限られるものをいいます。	…国外事業者が他の事業者に対して行う役務の提供で，映画もしくは演劇の俳優，音楽家その他の芸能人または職業運動家の役務の提供を主たる内容とするものをいいます。

(注)　電気通信利用役務の提供とは
電気通信回線を介して行われる著作物の提供その他の電気通信回線を介して行われる役務の提供をいいます。
【具体例】
電子書籍，音楽，広告の配信など

【留意点】
・著作物の利用の許諾に係る取引を含みます。
・電話，電信その他の通信設備を用いて他人の通信を媒介する役務の提供を除きます。
・資産の管理・運用に関する報告がインターネットを介して行われる場合など他の資産の譲渡等に付随して行われる役務の提供を除きます。

「事業者向け電気通信利用役務の提供」と「特定役務の提供」は，いずれも国外事業者が役務提供を行い，役務の提供を受ける者が事業者であることが前提とされます。したがって，「国内事業者が役務提供を行うもの」や「一般消費者も役務提供の対象とされるもの」は特定資産の譲渡等に該当しません。

通常の国内取引に係る資産の譲渡等に対して課される消費税は，資産の譲渡等を行った事業者（売上側）が納税義務を負うのに対し，特定仕入れに対して課される消費税は役務の提供を受けた事業者（仕入側）が納税義務を負うため，課税対象に関する規定もそれぞれ区別して設けられています（納税義務に関する取扱いは第2章第2節参照）。

国内取引における「資産の譲渡等」と「特定仕入れ」のイメージ図

以下の図における国内事業者は，売上側の立場としての納税義務（資産の譲渡等に係る納税義務）と仕入側の立場としての納税義務（特定仕入れに係る納税義務）があるため，消費税の課税対象に関する取扱いも区別して規定されています。

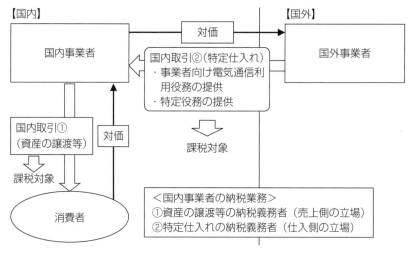

《特定仕入れの国内判定》

　特定仕入れのうち，「事業者向け電気通信利用役務の提供」が国内で行われたかどうかは，電気通信利用役務の提供を受ける者の住所地や本店等が国内にあるかどうかにより判定します（国内取引に係る取扱いは(1)①参照）。

　ただし，国外に支店等を持つ国内事業者が，その国外支店等で国外事業者から受ける「事業者向け電気通信利用役務の提供」のうち，国外事業に要するものである場合は，実質的に国外で役務の提供を受けているため国外取引となります。

　また，国外に本店等を持つ国外事業者が，その日本支店等で，他の国外事業者から受ける「事業者向け電気通信利用役務の提供」のうち，国内事業に要するものである場合は，実質的に国内で役務の提供を受けているため国内取引となります。

事業者向け電気通信利用役務の提供

国内事業者が受けるもの	原則	下記以外	→	課税
	例外	国外事業所で受けるもののうち国外事業に要するもの		対象外

国外事業者が受けるもの	原則	下記以外	→	対象外
	例外	国内（日本）事業所で受けるもののうち国内事業に要するもの		課税

(3) 輸入取引（保税地域から引き取られる外国貨物）（法5②）

　保税地域から引き取られる外国貨物は，消費税の課税対象となります。輸入取引に関しては，国内取引と異なり，課税事業者だけでなく免税事業者やサラリーマンなどの個人の消費者も納税義務を負い，消費税が課税されます。

国内取引と輸入取引の課税関係

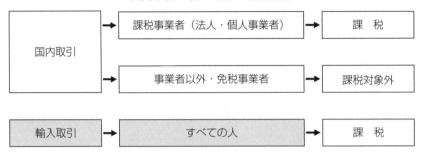

2．消費税の非課税 （法4①②，6）

⑴　概　　　要

　消費税法においては，「国内において事業者が行った資産の譲渡等・特定仕入れには，消費税を課する」および「保税地域から引き取られる外国貨物には，消費税を課する」と規定されており，国内において事業者が対価を得て行う資産の譲渡・資産の貸付け・役務の提供・特定仕入れおよび外国貨物の輸入については消費税が課されることになります。

　しかし，本来，消費税は消費に対して負担を求める税としての性格を有するため，取引の中には課税することがなじまないものや，社会政策的な配慮から課税することが不適当なものがあります。そこで，これらの取引については，非課税としています。

国内取引における非課税

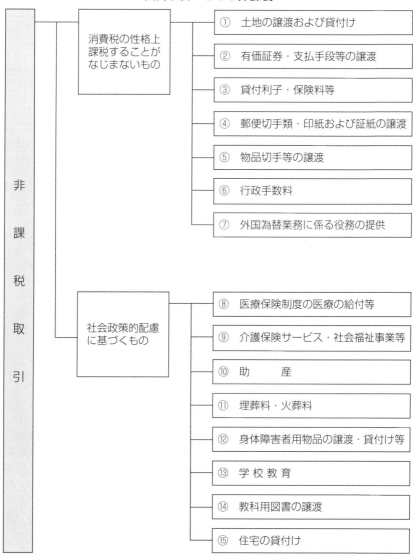

非課税取引

消費税の性格上課税することがなじまないもの
- ① 土地の譲渡および貸付け
- ② 有価証券・支払手段等の譲渡
- ③ 貸付利子・保険料等
- ④ 郵便切手類・印紙および証紙の譲渡
- ⑤ 物品切手等の譲渡
- ⑥ 行政手数料
- ⑦ 外国為替業務に係る役務の提供

社会政策的配慮に基づくもの
- ⑧ 医療保険制度の医療の給付等
- ⑨ 介護保険サービス・社会福祉事業等
- ⑩ 助　産
- ⑪ 埋葬料・火葬料
- ⑫ 身体障害者用物品の譲渡・貸付け等
- ⑬ 学校教育
- ⑭ 教科用図書の譲渡
- ⑮ 住宅の貸付け

　なお，この非課税取引は消費税法において限定されていますので，以下個々の内容を説明していきます。

(2)　国内取引における非課税

①　土地の譲渡および貸付け

　　土地（土地の上に存する権利^(注)を含む）の譲渡および貸付けは非課税とされています。ただし，土地の契約に定められた貸付期間が1か月に満たない場合および駐車場やテニスコート等施設の利用に伴って土地が使用されている場合には，消費税が課されます（法別表第1一，令8，基通6－1－4）。

　　また，事務所等の建物を貸し付ける場合の家賃は，たとえその家賃が建物部分と土地部分に区分されている場合でも，その総額が建物の貸付けとして取り扱われます（基通6－1－5）。

(注)　「土地の上に存する権利」とは，地上権，土地の賃借権，地役権等をいうものであり，例えば鉱業権（鉱産物を採取する権利），土石採取権（土石を採取する権利），温泉利用権（温泉をくみあげる権利）等は含まれません（基通6－1－2）。

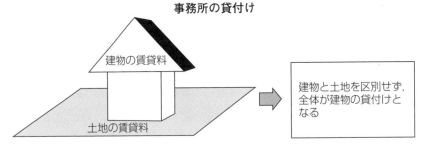

土地の譲渡および貸付け

事務所の貸付け

②　有価証券および支払手段等の譲渡

　　国債や地方債，社債，株式等の有価証券および合同会社等の社員の持分ならびに貸付金その他の金銭債権の譲渡は非課税とされています（法別表第1二，令9①）。

　　ただし，船荷証券やゴルフ会員権は，ここでいう有価証券に含まれませんので，課税対象となります（基通6－2－2）。

　　また，紙幣や硬貨，小切手，約束手形，暗号資産等の支払手段として使用できるものの譲渡についても，非課税とされていますが，コイン店等で販売する収集用記念硬貨などの収集品や販売用のものは非課税とはなりません（令9③④，基通6－2－3）。

有価証券等の譲渡

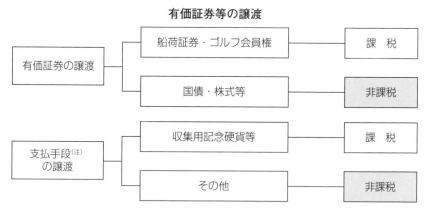

(注)　支払手段の範囲
　　イ　銀行券・政府紙幣・硬貨
　　ロ　小切手・為替手形・約束手形
　　ハ　資金決済に関する法律に規定する暗号資産他

③　貸付利子および保険料等

　　貸付金・預金・国債・地方債・社債の利子，信用保証料，保険料，合同運用信託等の収益分配金，割賦販売手数料，有価証券（ゴルフ会員権を除く）の賃貸料等は，非課税とされています（法別表第1三，令10，基通6－3－1）。

(注1)　保険代理店が受け取る代理店手数料は，非課税となりません（基通6－3－2）。

(注2)　非課税となる割賦手数料の割賦販売要件は以下のとおりです（基通6－3－6）。

　　㋑　割賦金を2か月以上の期間にわたり受け取ること

　　㋺　割賦金を3回以上に分割して受け取ること（なお申込金や頭金等の支払いも分割回数に含める）

(注3)　売上割引（売掛金の回収期日前の回収に対し，得意先に支払う利息相当額）や仕入割引（買掛金の支払期日前の支払いに対し，仕入先から受け取った利息相当額）については，性質的には利息ですが，非課税としては取り扱わず，それぞれ売上げまたは仕入れに係る対価の返還等として処理します（基通6－3－4）。

売上割引と仕入割引の消費税の取扱い

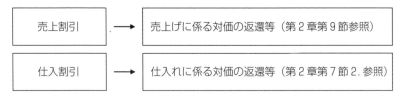

| 売上割引 | → | 売上げに係る対価の返還等（第2章第9節参照） |
| 仕入割引 | → | 仕入れに係る対価の返還等（第2章第7節2.参照） |

④　郵便切手類，印紙および証紙の譲渡

　郵便切手類，印紙および証紙は現金に代えて用いることによりサービス等が受けられるものです。

　これらは譲渡された時点では非課税とし，実際に使用されサービスが提供された時点で消費税を課税することとされています（ただし，購入者側には特例がある。第2章第7節1.(4)参照）。

　譲渡時点で非課税となるものは次のとおりです（法別表第1四イ，ロ）。

　ただし，収集品販売業者等が行う郵便切手等の譲渡等は，非課税とはなりません（基通6－4－1）。

㋑　日本郵便株式会社が譲渡する郵便切手類または印紙

㋺　簡易郵便局または郵便切手類販売所等が譲渡する郵便切手類または印紙

㋩　地方公共団体または売りさばき人が譲渡する証紙

郵便切手等の譲渡

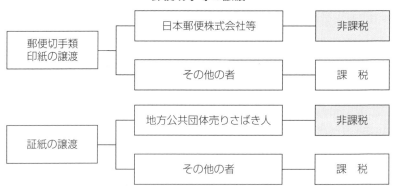

⑤ **物品切手等の譲渡（商品券・ビール券・図書カードなど）**

　物品切手等の譲渡は，上記④の郵便切手等と同様に取り扱われ非課税となります（法別表第１四ハ，令11）。

（注）　物品切手等として取り扱われるための要件

　　次のすべての要件を満たす証書は，物品切手等に該当します（基通６－４－４）。

　　(イ)　その証書と引換えに物品の購入や貸付けまたはサービスの提供が受けられるもの

　　(ロ)　その証書が上記(イ)の代金の支払いに充てられるもの

⑥ **国，地方公共団体等が徴収する手数料等（住民票の発行手数料など）**

　国，地方公共団体，公証人等が法令に基づいて行う登記，登録，証明等一定の事務の行政手数料は，非課税となります（法別表第１五イ～ハ，令12）。

⑦ **外国為替業務に係る役務の提供**

　国内と国外の間で行われる以下のサービスは，国際条約によっていかなる税金も課税することができないこととなっているため，非課税となります（法別表第１五ニ，令13，基通６－５－３）。

（注）外国為替業務（周辺業務を除く）

　(イ)　外国為替取引

　㈹　対外支払手段の発行

　㈼　対外支払手段の売買および債権の売買

⑧　医療保険制度の医療の給付等

　健康保険法等に基づく療養，医療等は，非課税となります。

　非課税となる医療等の範囲は，以下のとおりです（法別表第1六，令14，基通6-6-1，6-6-3）。

　㈭　健康保険法，国民健康保険法等の療養等

　㈹　高齢者の医療の確保に関する法律の療養等

　㈼　精神保健および精神障害者福祉に関する法律の医療等

　㈡　公害健康被害の補償等に関する法律の療養等

　㈩　労働者災害補償保険法の療養等

　㈥　自動車損害賠償保障法の損害賠償額の支払いを受ける被害者に対する療養

　㈣　その他これらに類する療養（いわゆる公費負担医療）

　ただし，薬局等で販売されるいわゆる市販される医薬品は，非課税とはなりません（基通6-6-2）。

医療の給付

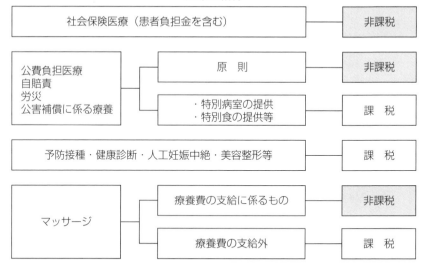

社会保険医療（患者負担金を含む）	非課税

公費負担医療 自賠責 労災 公害補償に係る療養	原　則	非課税
	・特別病室の提供 ・特別食の提供等	課　税

予防接種・健康診断・人工妊娠中絶・美容整形等	課　税

マッサージ	療養費の支給に係るもの	非課税
	療養費の支給外	課　税

⑨　介護保険サービスおよび社会福祉事業等

㈣　介護保険サービス

介護保険法の居宅サービスや施設サービスは，非課税となります。

非課税となる代表的なサービスは，以下のとおりです（法別表第１七イ，令14の２，基通６-７-１）。

 (a)　居宅要介護者の居宅において，介護福祉士・看護師等が行う訪問介護・訪問入浴介護および訪問看護等

 (b)　特別養護老人ホームや都道府県知事の許可を受けた介護老人保健施設等に入所する要介護者について行われる介護福祉施設サービス，介護保健施設サービス等

㈥　社会福祉事業等

社会福祉事業および更生保護事業として行われるサービスは，非課税となります。

非課税となる代表的な事業は，以下のとおりです（法別表第１七ロ，令14の３，基通６-７-５）。

(a)　生活保護法の救護施設，更生施設等生活の扶助を行うことを目的とする施設を経営する事業等

(b)　児童福祉法の乳児院，母子生活支援施設等を経営する事業

(c)　生計困難者に対して生活必需品等を与え，または生活に関する相談に応じる事業等

⑩　**助　　産**

医師や助産師等が行う助産行為は非課税となります。

非課税となる助産の範囲は，以下のとおりです（法別表第１八，基通６－８－１，６－８－３）。

ただし，人工妊娠中絶は非課税とはなりません。

(イ)　妊娠しているか否かの検査

(ロ)　妊娠していることが判明した時以降の検診，入院（差額ベット料，特別給食費を含む)

(ハ)　分娩の介助

(ニ)　出産の日以後２か月以内に行われる母体の回復検診

(ホ)　新生児に係る検診および入院

助産に係る妊娠中および出産後の入院費用で非課税となるもの（基通６－８－２）

妊娠中の入院	・産婦人科医が必要と認めた入院（妊娠中毒症・切迫流産等） ・他の疾病（骨折等）による入院のうち産婦人科医が共同して管理する間の入院
出産後の入院	・産婦人科医が必要と認めた入院 ・他の疾病による入院のうち産婦人科医が共同して管理する間については，出産の日から１か月を限度
新生児の入院	出産後の入院を準用

⑪　**埋葬料および火葬料**

埋葬料および火葬料は，非課税となります（法別表第１九）。

なお，市町村が徴収する埋葬料および火葬の許可手数料は，行政手数料として非課税となります。

⑫ **身体障害者用物品の譲渡，貸付け等**

　身体障害者が使用するために特殊な性状，構造または機能を有する物品（以下「身体障害者用物品」という）の譲渡，貸付け等は非課税となります（法別表第1十）。

　具体的な身体障害者用物品として，義肢，視覚障害者安全つえ，義眼，車いす等があります（令14の4）。

　なお，身体障害者用物品の一部を構成する部品の譲渡・貸付けは，非課税とはなりません（基通6-10-2）。

⑬ **学 校 教 育**

　小学校・中学校・高等学校等の学校教育におけるサービス等は，非課税となります（法別表第1十一）。

　なお，この場合における学校教育とは，小中学校・高等学校における教育はもちろん，専修学校・各種学校における教育も該当します。

　具体的な学校教育のサービス等として，授業料や入学検定料・入学金・施設設備費・在学証明書等の手数料等が該当します（基通6-11-1）。

　ただし，いわゆる公開模擬学力試験の検定料や学校給食費は，非課税とはなりません（基通6-11-4，6-11-6）。

授業料等の範囲

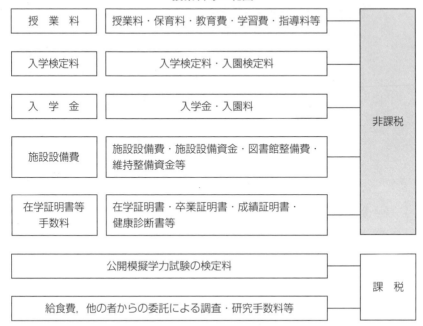

⑭　教科用図書の譲渡

　学校教育法に規定する文部科学大臣の検定を経た教科用図書（いわゆる検定済教科書）および文部科学省が著作の名義を有する教科用図書の譲渡は，非課税となります（法別表第1十二，基通6-12-1）。

　ただし，参考書や問題集等のいわゆる補助教材の譲渡は，非課税とはなりません（基通6-12-3）。

⑮ 住宅の貸付け

住宅（居住用家屋または居住用部分をいう。したがって，店舗兼住宅について
は，店舗部分は含まれない）の貸付けは，非課税となります。

ただし，貸付契約により居住用であることが明らかにされているもの，
または，貸付契約により用途が明らかでない場合で建物の状況等から居住
用であることが明らかなものに限られます（法別表第1十三）。

また，住宅の貸付期間が1か月に満たない場合（ウィークリーマンション
等）や，当該貸付が旅館業に該当する場合は，非課税とはなりません（令16
の2）。

この場合の家賃には，月決め等の家賃のほか，敷金・礼金・保証金・一
時金等のうち返還しない部分および共益費が含まれます（基通6-13-9）。

(注)　集合住宅の駐車場で非課税となるもの（基通6-13-3）
　　①　1戸あたり1台分以上の駐車スペースが確保されていること
　　②　自動車の所有の有無にかかわらず割り当てられること
　　③　家賃と区別して駐車場料を受け取っていないこと

住宅の貸付け

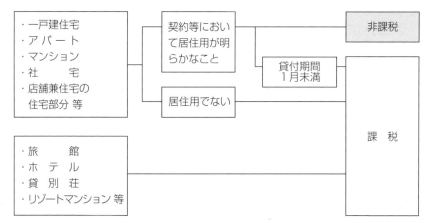

(3) 輸入取引の非課税

国内取引における非課税取引とバランスを図るため，保税地域から引き取ら

れる外国貨物のうち以下に掲げるものは，消費税を非課税としています（法別表第2）。

① 有価証券等

② 郵便切手類

③ 印　　　紙

④ 証　　　紙

⑤ 物品切手等

⑥ 身体障害者用物品

⑦ 教科用図書

3．輸出免税等

(1)　概　　　要

　消費税の課税取引とされる，国内で行われる課税資産の譲渡等には，日本からの輸出として行う取引（輸出取引等）も含まれます。つまり，輸出取引等が行われた場合には，本来は消費税が課税されることになります。

　しかし，輸出の後，最終的に国外で消費されるモノやサービスに消費税を課すということは，日本国外の消費者に日本の消費税を負担させることになりますので，一定の要件を満たす輸出取引については消費税を免除することとしています。

(2)　輸出免税等

　課税事業者が行う課税資産の譲渡等のうち，輸出取引等に該当するものについては，消費税を免除します。

　課税資産の譲渡等とは，課税対象となる資産の譲渡等のうち，国内取引の非課税の規定により消費税を課さないこととされるもの以外のものをいい，輸出取引等は課税資産の譲渡等に含まれます。これを図にすると，次頁のとおりです。

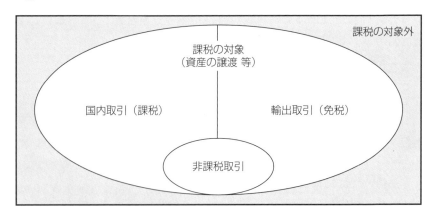

(3) **輸出取引等の範囲** (法7①, 令17①②, 基通7-2-1)

輸出取引等とは, 次の①～⑨に掲げるものをいいます。

① **日本から外国への資産の譲渡または貸付け**

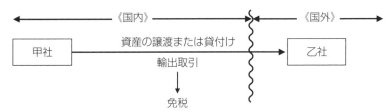

② **外国貨物 (本邦に到着した貨物のうち輸入の許可を受けていないもの等) の譲渡または貸付け**

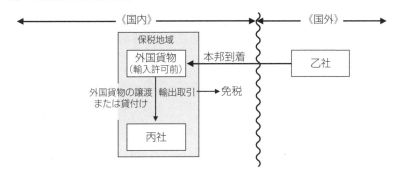

③　**日本と外国との間の旅客輸送，貨物輸送，通信，郵便**

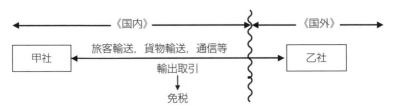

④　**海運業者などに対する，国際輸送用船舶などの譲渡，貸付け，修理**

⑤　**海運業者などに対する，国際輸送用コンテナーの譲渡，貸付け，修理**

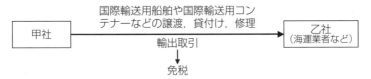

⑥　**国際船舶などの誘導等のサービスの提供**

⑦　**外国貨物の荷役，運送等のサービスの提供**

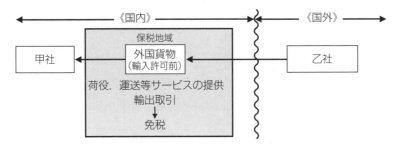

⑧ 非居住者に対する特許権など無形固定資産の譲渡または貸付け

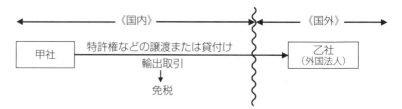

⑨ 非居住者に対する日本国内における広告宣伝などのサービスの 提供

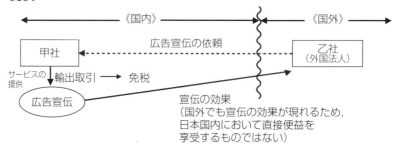

(注) 外国法人が日本国内に支店や出張所を有している場合には，当該支店や出張所については，上記の免税の適用はありません（基通7－2－15，－17）。

　　　ただし，次の要件のすべてを満たす場合はこの限りではありません。

　　　① その役務の提供が本店との直接取引であり，支店等はまったく関与していないこと

　　　② 支店，出張所の業務が，その役務提供に係る業務と同種，あるいは関連する業務でないこと

(4) 適用要件（法7②，則5）

　輸出免税等の規定は，事業者が，その課税資産の譲渡等が輸出取引であることを，輸出許可証や帳簿を整理してその課税資産の譲渡等を行った日の属する課税期間の末日の翌日から原則2か月を経過した日から7年間保存することにより証明しなければ適用を受けることができません。

(5) **輸出物品販売場における輸出免税の特例** (法8，令18)

① **概　　要**

来日中の外国人旅行者が，滞在中に販売店において物品を購入してこれを本国に持ち帰って使用した場合，この取引は，販売店の経営者にとっては，資産を外国に輸出したことと変わりはありません。

そこで，通常の輸出取引と同様，一定の販売店での一定の販売については消費税が免除となります。

② **制度の内容**

輸出物品販売場（免税店）を経営する事業者が，日常生活の用に供する物品で一定のものを外国人旅行者などの外国為替及び外国貿易法に規定する一定の非居住者（以下，「免税購入対象者」）に販売した場合には，以下の方法などを条件に，消費税が免税となります。

(イ) **免税店での購入方法**

a．免税店で物品を購入する免税購入対象者が，免税店を経営する事業者に旅券等を提示し，その旅券等に記載された情報を提供すること

b．免税店で物品を購入する免税購入対象者が一定の運送事業者と運送契約を結ぶ場合に，当該免税購入対象者が免税店を経営する事業者に，旅券等を提示してその旅券等に記載された情報を提供し，当該運送事業者との間で締結した運送契約に係る書類を提出し物品の引き渡しを受けること，かつその場で運送事業者に物品を引き渡すこと

(ロ) **物品を購入した免税購入対象者の出国時の手続き**

物品を購入した免税購入対象者は本邦から出国する際に，その出港地を所轄する税関長にその所持する旅券等を提示すること

(ハ) **購入記録情報の国税庁への提供**

旅券等に記載された情報の提供を受けた免税店を経営する事業者は，当該記載情報と販売した物品等の情報など（購入記録情報）を，電子情報処理組織を使用して国税庁長官に提供すること

③ 書類の保存等

　免税の適用を受ける場合には，原則として，免税の経営をする事業者が購入記録情報等を保存しなければなりません。また，運送契約を結び，物品の引渡しを受けた運送事業者も，当該運送契約に係る書類等を保存しなければなりません。

④ 輸出物品販売場の意義

　輸出物品販売場とは免税販売を行うため，免税店の経営者がその販売場について，納税地の所轄税務署長の許可を受けたものをいいます。

⑤ 免税対象物品

　次に掲げる物品以外の物品で，同一の輸出物品販売場で同一の日に譲渡する物品の対価の合計額が5千円以上のものが免税対象となります。

(イ)　金，白金その他通常生活の用に供しないもの

(ロ)　消耗品に該当するもので，同一の日に譲渡する物品の対価の合計額が50万円を超えるもの

輸出物品販売場のイメージ図

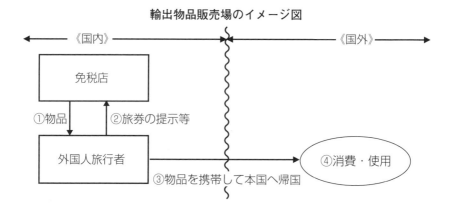

第 2 節　納税義務者

1．納税義務者（法 5）

(1)　納税義務者の区分

　消費税の納税義務者は，国内で課税資産の譲渡等（資産の譲渡・貸付けまたは役務の提供のうち消費税の非課税とされるもの以外のものをいい，特定資産の譲渡等を除く）を行った事業者もしくは国内で特定課税仕入れを行った事業者，または輸入により課税対象となる外国貨物（課税貨物）を保税地域から引き取る者となります（第 2 章第 1 節 1．参照）。

納税義務者の区分

取引の区分	納税義務者
国 内 取 引	国内で課税資産の譲渡等を行った事業者
	国内で特定課税仕入れを行った事業者
輸 入 取 引	課税貨物を保税地域から引き取る者

(2)　国内取引における納税義務者

①　課税資産の譲渡等の場合

　　国内で行われた課税資産の譲渡等については，その売上げにより消費税を預かった事業者が消費税の納税義務者となります。

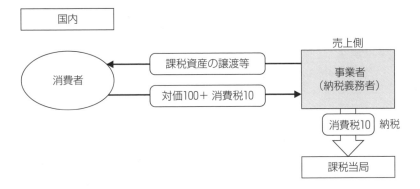

② 特定課税仕入れの場合

特定課税仕入れとは，課税仕入れのうち特定仕入れ[注]に該当するものをいいます。特定課税仕入れは売上げにより消費税を預かった者ではなく仕入側の事業者が納税義務者となります。つまり，通常，仕入側の事業者が売上側の事業者に対して支払う（預ける）消費税を，売上側ではなく直接国に納税することになります。

(注) 特定仕入れとは，事業として他の者から受けた特定資産の譲渡等をいい，特定資産の譲渡等とは，「事業者向け電気通信利用役務の提供」および「特定役務の提供」をいいます（第2章第1節1.参照）。

このように売上側ではなく仕入側が納税義務を負う納税方式を，リバースチャージ方式といいます。リバースチャージ方式が採用される特定課税仕入れのうち事業者向け電気通信利用役務の提供（国外事業者が行う電気通信利用役務の提供のうち，その役務の提供を受ける者が通常事業者に限られるもの）については，その役務の提供を行う国外事業者が，当該役務の提供について役務の提供を受けた国内事業者が納税義務者である旨をあらかじめ表示しなければならないこととされています（ただし，この表示がない場合であっても国内事業者の納税義務は生じる）。

なお，特定課税仕入れに係る消費税は，納税義務者である仕入側において仕入税額控除（第2章第7節1.参照）の対象となります。

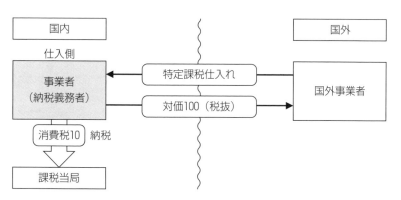

③　電気通信利用役務の提供が事業者向けでない場合

　　国外事業者の行う電気通信利用役務の提供がその役務の性質または取引
条件等からその役務の提供を受ける者が通常事業者に限られるものについ
ては，上記②の特定課税仕入れとしてリバースチャージ方式が採用されま
すが，広く一般消費者向けに行われる電子書籍の配信のように役務提供を
受ける者が事業者に限られない取引については，特定課税仕入れに該当せ
ず，①の通常の課税資産の譲渡等になります。この場合，国外事業者が売
上側の事業者として消費税を預かることになりますので，当該国外事業者
が消費税の納税義務者となります。

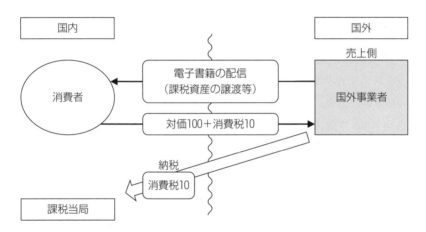

(3)　特定課税仕入れに関する経過措置

　　事業者が国内で特定課税仕入れを行った場合においても，その課税期間の課
税売上割合が95％以上である場合および簡易課税制度が適用される課税期間で
ある場合には，当面の間，その特定課税仕入れはなかったものとみなされま
す。つまり，特定課税仕入れに係る納税義務は生じないことになります。ま
た，合わせて特定課税仕入れに係る仕入税額控除も行うことはできません。

2. 基準期間の課税売上高による納税義務の判定 (法9)

(1) 納税義務の判定の必要性

消費税は,「モノ・サービスを消費すること」に対して課されますので, 本来であれば, 事業者の大多数が納税義務者となります。

しかし, そのすべてを納税義務者とすると, 少額の消費税しか納付しない事業者であっても納税事務の負担が発生し, また, 国側においても徴収手続きが煩雑になるため, 一定規模以下の事業者については, 消費税の納税義務を免除することとしています。

具体的には, その課税期間の基準期間における課税売上高が1,000万円以下である事業者は, 課税資産の譲渡等に係る消費税および特定課税仕入れに係る消費税について納税義務が免除されます。

(2) 納税義務が免除される場合 (法9)

基準期間における課税売上高が1,000万円以下である事業者について納税義務が免除されます。

なお, 基準期間および納税義務の免除の判定は個人事業者・法人の区分に応じ次のとおりです。

① 個人事業者

(イ) 基 準 期 間

その年の前々年で判定を行います。

(ロ) 納税義務の免除の判定の例

②　法　　人

㈲　基 準 期 間

　その事業年度の前々事業年度で判定を行います。

　ただし，前々事業年度が１年未満である場合には，その事業年度開始の日の２年前の日の前日から，１年を経過する日までの間に開始した各事業年度を合わせた期間が基準期間となります。

㈹　納税義務の免除の判定の例

１年決算の場合

半年決算の場合（前々事業年度が１年未満である法人）

(3)　基準期間における課税売上高 (法9②)

①　基準期間における課税売上高とは

　基準期間における課税売上高とは，基準期間中の課税資産の譲渡等の対価の額（税抜金額）の合計額から売上げに係る対価の返還等の額（第２章第9節参照）（税抜金額）の合計額を控除した金額をいいます。

　課税資産の譲渡等とは，消費税が課される売上げをいい，消費税が課されない売上げ（非課税売上げ・不課税売上げ）は含まれません。

課税・非課税・不課税のイメージ図

国内取引	資産の譲渡等	課税資産の譲渡等	課税売上高
			免税売上高
		非 課 税 売 上 高	
	不 課 税 売 上 高		

なお，特定課税仕入れに係る支払対価の額については納税義務の判定の基礎となる基準期間における課税売上高に含まれません。

② **基準期間が1年でない場合**

基準期間が1年でない法人の場合は，この期間における課税売上高を年換算（基準期間における課税売上高を基準期間の月数で除し，これに12を乗じる計算）をする必要があります。

なお，個人事業者の場合には，基準期間において事業を行っている期間が1年未満であっても，月数の調整は行いません。

③ **基準期間における課税売上高の計算上のポイント**

基準期間における課税売上高の計算上，注意すべきポイントは，以下のとおりです。

(イ) 消費税を除いた税抜金額で計算をします。

(ロ) 基準期間が免税事業者であった場合には，基準期間の売上高に消費税は含まれていないため，税抜処理は行いません。

基準期間における課税売上高の計算方法は，次の算式によります。

(a) **個人事業者または基準期間が1年である法人**

基準期間における 課税売上高 売上げに係る対価の
課税売上高 ＝（税抜）(注1) ─ 返還等の額（税抜）(注2)

（注 1 ）　課税売上高（税抜）の計算

$$国内課税売上高（税込） \times \frac{100^{（注3.4）}}{110} ＋免税売上高$$

（注 2 ）　売上げに係る対価の返還等の額（税抜）の計算

$$国内課税売上返還等の額（税込） \times \frac{100^{（注3.4）}}{110} ＋免税売上返還等$$

（注 3 ）　基準期間中の課税売上高および課税売上返還等の額に旧税率（ 5 ％または 8 ％）や軽減税率を適用する金額が含まれている場合，当該金額については $\frac{100}{105}$ または $\frac{100}{108}$ を乗じます。

（注 4 ）　基準期間が免税事業者であった場合には $\frac{100}{110}$（または $\frac{100}{105}$ $\frac{100}{108}$）は乗じません。

(b)　**基準期間が 1 年でない法人**

$$上記(a)により計算した金額 \times \frac{12}{基準期間の月数}$$

(4)　**新規開業をした場合の納税義務の判定**

新たに事業を開始した個人事業者または新たに設立された法人のように，その課税期間の基準期間における課税売上高がない場合には，消費税課税事業者選択届出書を提出した場合および適格請求書発行事業者に該当する場合（第 2 章第 2 節 3 . 4 . 参照）を除き，納税義務は免除されます。

ただし，特定期間の課税売上高の特例，相続・合併・分割等が行われた場合の納税義務の免除の特例，新設法人の納税義務の免除の特例および特定新規設立法人の納税義務の免除の特例の適用を受ける場合にはこの限りではありません（第 2 章第 2 節 5 . 〜11. 参照）。

法人の場合の判定の例

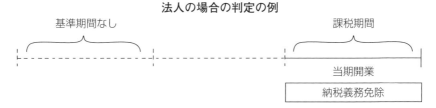

(注) 法人の場合は，新設事業年度においては基準期間がありません。

個人事業者の場合の判定の例

(注) 個人事業者の場合は，前々年の基準期間そのものはあります。

３．適格請求書発行事業者となる場合の納税義務

⑴ 適格請求書発行事業者の納税義務 （法9）

　適格請求書発行事業者とは，仕入税額控除（第2章第7節1.参照）の適用を受けるために保存が必要となる適格請求書を発行できる事業者として納税地を所轄する税務署長の登録を受けた事業者をいいます。

　適格請求書発行事業者は，基準期間における課税売上高が1,000万円以下である場合においても納税義務は免除されません。

⑵ 適格請求書発行事業者の登録 （法57の2，平成28法附則44④，平成30令附則15②，通達21－1－1）

　事業者が適格請求書発行事業者となるためには，納税地を所轄する税務署長に「適格請求書発行事業者の登録申請書」（以下「登録申請書」といいます）を提出し，適格請求書発行事業者の登録を受ける必要があります。課税事業者は，課税期間の中途であっても，登録日から適格請求書発行事業者として適格請求書を発行することができますが，免税事業者は，免税事業者のままでは登録を

受けることができないため，課税事業者選択届出書を提出し，課税事業者となる課税期間以後から登録を受け，適格請求書を発行することができるようになります^(注)。

(注) 免税事業者が令和 5 年10月 1 日から令和11年 9 月30日までの日の属する課税期間中に登録を受ける場合には，登録申請書に登録希望日（提出日から15日以降の任意の日）を記載することで，その登録希望日から課税事業者となる経過措置が設けられています。この経過措置の適用を受けることとなる場合には，課税事業者選択届出書を提出する必要はありません。

(3)　適格請求書発行事業者の義務（法57の 4 ）

適格請求書発行事業者は，適格請求書を交付することが困難な一定の取引を除き，下記を行う必要があります。

①　適格請求書の交付

軽減税率対象品目の販売を行ったか否かにかかわらず，取引の相手先（課税事業者に限る）の求めに応じて，適格請求書（または適格簡易請求書）を交付する。

②　適格返還請求書の交付

売上に係る対価の返還等を行った場合に，適格返還請求書を交付する。

③　修正した適格請求書の交付

交付した適格請求書（または適格簡易請求書，適格返還請求書）に誤りがあった場合に，修正した適格請求書を交付する。

④　写しの保存

交付した適格請求書（または適格簡易請求書，適格返還請求書）の写しを保存する。

(4)　登録の取りやめ（法57の 2 ⑩一，令70の 5 ③，平成28法附則44⑤）

適格請求書発行事業者は，その登録を取りやめたいときは，納税地を所轄する税務署長に「適格請求書発行事業者の登録の取消しを求める旨の届出書」（以下「登録取消届出書」といいます）を提出する必要があります。登録取消届出書の

提出があった場合には，原則として，その提出があった日の属する課税期間の翌課税期間の初日に登録の効力が失われますが，翌課税期間の初日から起算して15日前の日を過ぎて提出した場合には，翌々課税期間の初日に登録の効力が失われることとなります。

　なお，上記(2)の経過措置の適用を受ける場合および適格請求書発行事業者の登録を受けるために課税事業者選択届出書を提出した場合には，原則として2年間継続して適用を受けた後の課税期間でなければ，免税事業者となることができません。

4．課税事業者の選択の手続き

(1)　課税事業者の選択 （法9④）

　免税事業者が，「消費税課税事業者選択届出書」を納税地を所轄する税務署長に提出した場合には，その届出書を提出した課税期間の翌課税期間から課税事業者になることができます。

　なお，その届出書を提出した課税期間が，事業を開始した課税期間または相続・合併・分割により課税事業者の選択の適用を受けていた者の事業を引き継いだ課税期間である場合には，その課税期間から課税事業者となることができます。

(2)　課税事業者の選択をして消費税の還付を受ける場合

　消費税の免税事業者が，課税事業者を選択することで消費税の還付を受けることができる場合があります。

　例えば，輸出を行っている事業者で，仕入れはすべて国内で行い，売上げはすべて免税売上げのケースを考えてみます。

　この場合，輸出による売上げは，免税売上げであるため消費税は受け取っていません。しかし，商品の仕入れについては消費税を支払っていますので，支払った消費税は還付の対象となります。この場合，消費税の還付は申告により行われますが，免税事業者は申告義務がありません。

　そこで課税事業者を選択して納税義務者になることで，申告により国内で行った仕入れに係る消費税の還付を受けることができます。

＜課税事業者を選択した方が有利なケースの具体例＞

輸出業を営んでいる事業者が，国内の業者から商品を110（税込）で仕入れて，その商品を海外で200で売り上げた場合

| 仕入業者 | → 110 (消費税10) | 輸出業者 | → 200 (消費税０) | 海外の消費者 |

① **免税事業者の場合**

　消費税の還付額　　0

② **課税事業者を選択した場合**

　消費税の還付額　　10　（0 － 10 ＝ △10）

∴　課税事業者を選択すると10の還付を受けることができます。

----

(3)　課税事業者選択の不適用 （法9⑤⑥⑧）

①　原　　則

　　免税事業者が課税事業者を選択した場合において，その後，課税事業者の選択をやめようとするときは，「消費税課税事業者選択不適用届出書」を納税地を所轄する税務署長に提出する必要があります。

　　なお，課税事業者を選択した場合（適格請求書発行事業者の登録を受けるために課税事業者を選択した場合を含む）には，原則として２年間継続して適用を受けた後の課税期間でなければ，免税事業者に戻ることができません。

消費税課税事業者選択届出書の効力

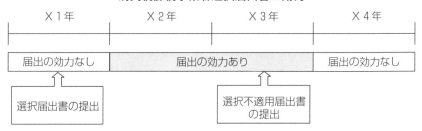

② 調整対象固定資産を購入した場合の提出制限 (法9⑦)

　　課税事業者選択届出書の提出により課税事業者となった事業者（適格請求書発行事業者の登録を受けるために課税事業者となった事業者を含む）が，課税事業者である課税期間中（簡易課税制度の適用を受ける課税期間を除く）に調整対象固定資産を購入した場合には，調整対象固定資産を購入した日の属する課税期間の初日から３年を経過する日の属する課税期間の初日以後でなければ「消費税課税事業者選択不適用届出書」を提出することはできません（第２章第７節３.(6)参照）。

5．特定期間の課税売上高による納税義務の判定 (法9の2)

(1) 概　　要

　　基準期間における課税売上高が1,000万円以下である場合においても，特定期間における課税売上高が1,000万円を超えるときは，個人事業者のその年または法人のその事業年度に係る納税義務は免除されません。

(2) 特 定 期 間

　　特定期間とは次に掲げる期間をいいます。

　① 　個人事業者……その年の前年１月１日から６月30日までの期間

　② 　法　　　人……その事業年度の前事業年度開始の日以後６か月の期間(注)

　　(注) 前事業年度が７か月以下の場合など短期事業年度に該当する場合には，前々事業年度開始の日以後６か月の期間その他一定の期間

(3) 納税義務の判定（1年決算法人の場合）

　1年決算法人の場合における納税義務の判定は以下の図のとおり「基準期間の課税売上高」に加えて「特定期間の課税売上高」により判定されることになります。

:::::＜具体例＞:::::

　　以下の図の場合，基準期間における課税売上高が1,000万円以下ですが，特定期間における課税売上高が1,000万円を超えているため，納税義務が免除されません。

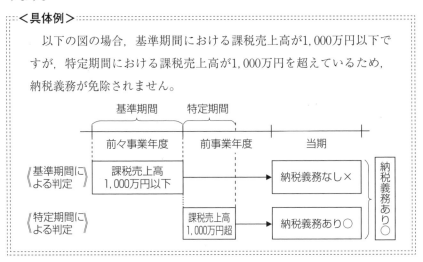

(4) 特定期間の課税売上高の特例

　特定期間の課税売上高による納税義務の判定については，その特定期間の課税売上高に代えて，その特定期間中に支払った給与等（給料，賃金，賞与など）の額を基礎として判定することができます。

　つまり，特定期間の課税売上高が1,000万円を超える場合においても，特定期間における給与の額が1,000万円以下である場合には，納税義務は生じません。また，月単位の売上高を正確に把握していない場合においても，毎月の給与支払額を基礎として判定を行うことができるという点では，実務上の簡便性も考慮されています。

48

━━━

＜具体例＞

　以下の図においては，特定期間の課税売上高が1,000万円を超えま
すが，特定期間の給与支払額が1,000万円以下であり，かつ，基準期
間における課税売上高が1,000万円以下であるため，納税義務はあり
ません。

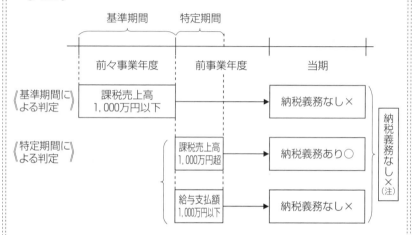

（注1） ただし，給与支払額が1,000万円以下である場合においても，当
該数値を用いず，特定期間の課税売上高による判定により，あえ
て納税義務を生じさせることも可能です。

（注2） 国外事業者は，令和6年10月1日以後に開始する課税期間にお
いては，給与支払額を用いて特定期間の納税義務の判定をするこ
とができません。

（注3） 消費税課税事業者選択届出書の提出または適格請求書発行事業
者の登録をした場合には，上記の判定にかかわらず納税義務があ
ります。

━━━

6．相続があった場合の納税義務の判定 （法10）

⑴ 概　　　要

　基準期間における課税売上高及び特定期間における課税売上高が1,000万円
以下であり，かつ，消費税課税事業者選択届出書や適格請求書発行事業者の登

録申請書を提出していない個人事業者は，原則として，消費税の納税義務はありません。しかし，相続があった場合において，相続人が被相続人の事業を引き継いだときの納税義務の判定は，その相続人の基準期間における課税売上高だけでなく，その被相続人から引き継いだ事業に係る課税売上高や適格請求書発行事業者の登録の有無も考慮に入れて行います。

(2)　被相続人から引き継いだ事業に係る課税売上高により納税義務が生ずる場合

　相続により被相続人の事業を引き継いだ相続人は，次の①または②の年についてそれぞれに掲げるケースに該当するときは，それぞれに掲げる期間中に行われる課税資産の譲渡等につき消費税の納税義務が生ずることになります。

①　課税期間が相続のあった年の場合

　　その基準期間における課税売上高が1,000万円を超える事業を被相続人から引き継いだ場合……その相続があった日の翌日からその年12月31日まで

②　課税期間が相続があった年の翌年および翌々年の場合

　　「相続人の基準期間における課税売上高」と「相続によって引き継いだ被相続人の事業に係る基準期間における課税売上高」との合計額が1,000万円を超える場合……その課税期間

＜①　相続があった年の納税義務の判定の具体例＞

相続があった日：5月10日

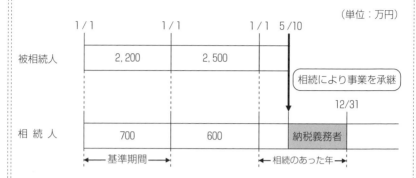

（単位：万円）

【原則】700≦1,000　∴納税義務なし

【特例】2,200＞1,000
　　　　∴5/11〜12/31の期間について納税義務あり

　相続があった年については，相続人の基準期間における課税売上高（700）で判定すると納税義務が生じませんが，被相続人の基準期間における課税売上高（2,200）で判定すると納税義務が生じます。

（注）　相続人が消費税課税事業者選択届出書を提出している場合または，適格請求書発行事業者の登録を受けている場合には，上記の判定にかかわらず，納税義務が生じます。

<②　相続があった年の翌年または翌々年の納税義務の判定の具体例>

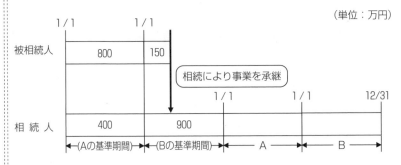

（単位：万円）

（1）　**相続があった年の翌年（Ａの年）**

【原則】400≦1,000　∴納税義務なし

【特例】400＋800＝1,200＞1,000　∴納税義務あり

　相続人の相続があった年の翌年（Ａの年）については，相続人の基準期間における課税売上高（400）だけで判定すると納税義務が生じませんが，被相続人の基準期間における課税売上高（800）を合わせた金額（1,200）で判定すると納税義務が生じます。

（2）　**相続があった年の翌々年（Ｂの年）**

【原則】900≦1,000　∴納税義務なし

【特例】900＋150＝1,050＞1,000　∴納税義務あり

　相続人の相続があった年の翌々年（Ｂの年）については，相続人の基準期間における課税売上高（900）だけで判定すると納税義務が生じませんが，被相続人の基準期間における課税売上高（150）を合わせた金額（1,050）で判定すると納税義務が生じます。

(注)　相続人が消費税課税事業者選択届出書を提出している場合または適格請求書発行事業者の登録を受けている場合には，上記の判定にかかわら

> ず，納税義務が生じます。

(3) 被相続人が適格請求書発行事業者の登録を受けていることにより納税義務が生ずる場合 (法57の3①③)

　相続により適格請求書発行事業者の事業を引き継いだ相続人は，相続のあった日の翌日から，次に掲げる日のいずれか早い日までの期間については，相続人を適格請求書発行事業者とみなす措置が設けられています。

　①その相続人が適格請求書発行事業者の登録を受けた日の前日

　②その相続のあった日の翌日から4月を経過する日

　この措置により，相続により適格請求書発行事業者の事業を引き継いだ相続人は，免税事業者かつ自身が登録しない場合であってもその適格請求書発行事業者の相続のあった日の翌日から4月を経過する日までは適格請求書発行事業者とみなされるため，この期間中に行われる課税資産の譲渡等につき消費税の納税義務が生ずることになります。

　なお，適格請求書発行事業者に相続があったときは，その相続人は「適格請求書発行事業者の死亡届出書」を提出する必要があります。

7．合併があった場合の納税義務の判定 (法11)

(1) 概　　要

　合併があった場合における合併法人の納税義務の判定は，その合併法人の基準期間における課税売上高だけでなく，被合併法人の課税売上高を考慮に入れて行います。

(2) 合併により納税義務が生ずる場合

　基準期間における課税売上高および特定期間における課税売上高が1,000万円以下であり，かつ，消費税課税事業者選択届出書を提出していない場合には，適格請求書発行事業者に該当する場合を除き，原則として，消費税の納税義務はありません。

　ただし，合併法人については，次に掲げる事業年度においてそれぞれに掲げるケースに該当するときは，それぞれに掲げる期間中に行われる課税資産の譲渡等につき消費税の納税義務が生ずることになります。

①　合併事業年度

　　被合併法人のその基準期間に対応する期間における課税売上高が1,000万円を超えるとき……合併法人の合併の日から合併事業年度の終了の日まで

②　合併事業年度後の事業年度

　　「合併法人の基準期間における課税売上高」と「被合併法人のその基準期間に対応する期間における課税売上高」との合計額が1,000万円を超えるとき……その事業年度

　(注)　合併には，吸収合併と新設合併の2通りありますが，実務上用いられる頻度の高い吸収合併を前提としています。

＜合併があった場合の納税義務の判定の具体例＞

合併の日：4月1日

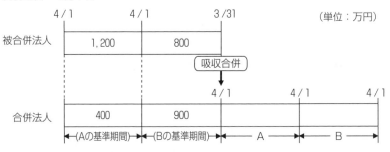

(1)　合併事業年度（A事業年度）

【原則】400≦1,000　∴納税義務なし

【特例】1,200＞1,000　∴納税義務あり

　合併法人の合併事業年度（A事業年度）については，合併法人の基準期間における課税売上高（400）で判定すると納税義務が生じません

が，被合併法人の基準期間に対応する期間における課税売上高
(1,200) で判定すると納税義務が生じます。

(2) 合併事業年度後の事業年度（B事業年度）

【原則】900≦1,000　∴納税義務なし

【特例】900＋800＝1,700＞1,000　∴納税義務あり

　合併法人の合併事業年度の翌事業年度(B事業年度)については，合併
法人の基準期間における課税売上高(900)だけで判定すると納税義務
が生じませんが，被合併法人の基準期間に対応する期間における課税
売上高(800)を合わせた金額(1,700)で判定すると納税義務が生じます。

(注1)　消費税課税事業者選択届出書を提出している場合または適格請求書発
行事業者の登録をしている場合には，上記の特例にかかわらず，納税義
務が生じます。

(注2)　合併法人の基準期間と被合併法人における合併法人の基準期間に対応
する期間の月数が異なる場合には，判定上使用する被合併法人の課税売
上高について一定の調整を加える必要があります。

8．分割等があった場合の納税義務の免除の特例 (法12)

(1) 概　　要

　分割等があった場合には，その分割等により「資産・負債を移転した法人」
と「資産・負債を受け入れた法人」の納税義務の判定は，各法人の基準期間に
おける課税売上高だけでなく，両法人の基準期間における課税売上高を考慮に
入れて行います。

(2) 分　割　等

　分割等には，会社法に規定する「会社分割」のほか，出資割合が100％など
特定の要件を満たす「現物出資(注1)」,「事後設立(注2)」も含まれます。なお，
「会社分割」はさらに，分割により親子会社関係を生じさせる分社型分割と兄

弟会社関係を生じさせる分割型分割に区分されますが，納税義務の判定にあたって取扱いに差異はないため，分割等の納税義務の判定の解説にあたっては，「資産・負債を移転した法人」を「親法人」，「資産・負債を受け入れた法人」を「子法人」とします。

（注1）　現 物 出 資
　　　金銭以外の資産を出資して法人を設立する行為をいいます。

（注2）　事 後 設 立
　　　金銭を出資して法人を設立し，その後その金銭を対価として金銭以外の資産をその法人に譲渡する行為をいいます（結果として金銭以外の資産を出資する現物出資と同様の効果がある）。

納税義務の特例の対象となる分割等の範囲

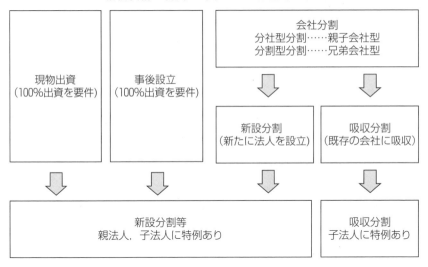

(3)　分割等があった場合の納税義務の判定区分

　分割等があった場合の納税義務の判定については，以下の2通りに区分してそれぞれ特例規定が設けられています。

　①　子法人を新たな法人として設立させる「新設分割」「現物出資」「事後設立」（以下「新設分割等」という）

　②　子法人に親法人の事業を吸収させる「吸収分割」

⑷ 新設分割等の場合

　新設分割等があった場合の納税義務の判定は，親法人と子法人のそれぞれに
特例が設けられています。基準期間における課税売上高および特定期間におけ
る課税売上高が1,000万円以下であり，かつ，消費税課税事業者選択届出書を
提出していない場合には，適格請求書発行事業者に該当する場合を除き，原則
として，消費税の納税義務はありません。ただし，次に掲げる事業年度におい
て，それぞれに掲げるケースに該当するときは，それぞれに掲げる事業年度中
に行われる課税資産の譲渡等について，消費税の納税義務が生じます。

① 子法人の納税義務が生ずる場合 （法12①②③）

㈤ 設立事業年度および基準期間がない事業年度

　「親法人における，子法人の基準期間に対応する期間」の課税売上高が
1,000万円を超えるとき

㈹ 基準期間がある事業年度

　「子法人の基準期間」における課税売上高と「親法人における，子法人
の基準期間に対応する期間」の課税売上高との合計額が1,000万円を超える
とき

② 親法人の納税義務が生ずる場合 （新設分割等後の各事業年度）（法12④）

　「親法人の基準期間」における課税売上高と「子法人における，親法人
の基準期間に対応する期間」の課税売上高との合計額が1,000万円を超える
とき

(注) 新設分割等の場合の留意点

　　①㈤は，親法人が2以上ある場合にはいずれかの親法人の課税売上高により
判定します。
　　①㈹，②は，親法人が2以上ある場合を除きます。また，その子法人が基準
期間末日において親法人およびその特殊関係者に50％を超えて保有されている
場合に限ります。

＜新設分割等の場合の納税義務の判定の具体例＞

分割の日：4月1日

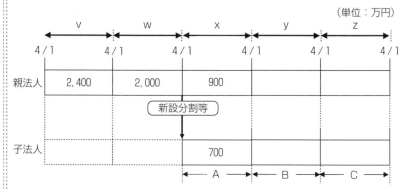

(1)　**子法人の納税義務の判定**

①　**設立事業年度【A事業年度】**

$$2,400 > 1,000 \quad \therefore 納税義務あり$$

　　子法人の設立事業年度（A事業年度）の納税義務については，子法人の基準期間に対応する期間（v事業年度）における親法人の課税売上高（2,400）で判定します。

②　**基準期間がない事業年度（設立事業年度を除く）【B事業年度】**

$$2,000 > 1,000 \quad \therefore 納税義務あり$$

　　子法人の設立事業年度の翌事業年度（B事業年度）の納税義務については，子法人の基準期間に対応する期間（w事業年度）における親法人の課税売上高（2,000）で判定します。

③　**基準期間がある事業年度【C事業年度】**

$$【原則】700 \leqq 1,000 \quad \therefore 納税義務なし$$

$$【特例】700 + 900 = 1,600 > 1,000 \quad \therefore 納税義務あり$$

　　子法人のC事業年度については，子法人の基準期間における課税売上高（700）だけで判定すると納税義務が生じませんが，親法

人における子法人の基準期間に対応する期間（x事業年度）における課税売上高（900）を合わせた金額（1,600）で判定すると納税義務が生じます。

- **(注1)** 消費税課税事業者選択届出書を提出している場合または適格請求書発行事業者の登録を受けている場合には，上記の特例にかかわらず，納税義務が生じます。
- **(注2)** 子法人の基準期間と親法人における，子法人の基準期間に対応する期間の月数が異なる場合には，判定上使用する親法人の課税売上高について一定の調整を加える必要があります。

⑵ 親法人の納税義務の判定【z事業年度】

【原則】900≦1,000 ∴納税義務なし

【特例】900＋700＝1,600＞1,000 ∴納税義務あり

親法人のz事業年度については，親法人の基準期間における課税売上高（900）だけで判定すると納税義務が生じませんが，親法人の基準期間に対応する期間（A事業年度）における子法人の課税売上高（700）を合わせた金額（1,600）で判定すると納税義務が生じます。

- **(注1)** 消費税課税事業者選択届出書を提出している場合または適格請求書発行事業者の登録を受けている場合には，上記の特例にかかわらず，納税義務が生じます。
- **(注2)** 親法人の基準期間と子法人における，親法人の基準期間に対応する期間の月数が異なる場合には，判定上使用する子法人の課税売上高について一定の調整を加える必要があります。

⑸ 吸収分割の場合

吸収分割があった場合の納税義務の判定は，子法人にのみ特例が設けられています。基準期間における課税売上高および特定期間における課税売上高が1,000万円以下であり，かつ，消費税課税事業者選択届出書を提出していない場合には，適格請求書発行事業者に該当する場合を除き，原則として，消費税の納税義務はありません。ただし，次に掲げる事業年度において，それぞれに

該当するときは，それぞれの期間中に行われる課税資産の譲渡等について，消費税の納税義務は免除されません。

㈡　**吸収分割事業年度**（法12⑤）

「親法人における，子法人の基準期間に対応する期間」の課税売上高が1,000万円を超えるとき……吸収分割の日から吸収分割事業年度終了の日まで

㈢　**吸収分割がその事業年度初日の1年前の日の前日からその事業年度初日の前日までにあった場合の事業年度**（法12⑥）

「親法人における，子法人の基準期間に対応する期間」の課税売上高が1,000万円を超えるとき……その事業年度

なお，㈡，㈢において親法人が2以上ある場合にはいずれかの親法人の課税売上高により判定します。

＜吸収分割の場合の納税義務の判定＞

分割の日：4月1日

（単位：万円）

	v	w	x	y
	4/1	4/1	4/1	4/1 ─ 4/1

親法人	2,400	2,000	900	

吸収分割

子法人	500	800	1,500	

←── A ──→ ←── B ──→

子法人の納税義務の判定

① **吸収分割事業年度【A事業年度】**

【原則】500≦1,000　∴納税義務なし

【特例】2,400＞1,000　∴納税義務あり

　　子法人の吸収分割事業年度（A事業年度）については，子法人の基準期間における課税売上高（500）で判定すると納税義務が生じませんが，子法人の基準期間に対応する期間（v事業年度）における親法人の課税売上高（2,400）で判定すると納税義務が生じます。

② **吸収分割がその事業年度初日の１年前の日の前日からその事業年度初日の前日までにあった場合の事業年度【B事業年度】**

【原則】800≦1,000 ∴納税義務なし

【特例】2,000＞1,000 ∴納税義務あり

　　子法人のB事業年度については，子法人の基準期間における課税売上高（800）で判定すると納税義務が生じませんが，子法人の基準期間に対応する期間（w事業年度）における親法人の課税売上高（2,000）で判定すると納税義務が生じます。

（注1） 吸収分割の場合には，親法人について特例規定は設けられていません。
（注2） 消費税課税事業者選択届出書を提出している場合または適格請求書発行事業者の登録を受けている場合には，上記の特例にかかわらず，納税義務が生じます。子法人の基準期間と親法人における，子法人の基準期間に対応する期間の月数が異なる場合には，判定上使用する親法人の課税売上高について一定の調整を加える必要があります。

９．新設法人の納税義務の免除の特例 (法12の2)

⑴ 内　　容

　　法人の消費税の納税義務の有無は，原則として基準期間（前々事業年度）の課税売上高が1,000万円超であるか否かにより判定します。しかし，１年決算法人を前提とした場合，新たに設立された法人の設立第１期目と第２期目は，その基準期間がありません。そこで，新設法人の設立第１期目と第２期目については，事業年度開始の日の資本金の額または出資の金額により消費税の納税義務の有無を判定することとしており，それぞれの事業年度開始の日の資本金の額

または出資の金額が1,000万円以上の場合には，消費税の納税義務は免除されないこととなっています。ただし，外国法人は，令和6年10月1日以後に開始する課税期間については，基準期間を有する場合であっても，国内における事業開始時の資本金の額または出資の金額により消費税の納税義務を判定します。

　また，基準期間がない新設法人で，その事業年度開始の日の資本金の額または出資の金額が1,000万円未満のものであっても，自ら消費税課税事業者選択届出書を提出した場合（適格請求書発行事業者の登録を受けた場合を含む）には，納税義務者となります。例えば，設立当初，大きな設備投資を行う予定があり，納税義務者となることで，消費税の還付が見込まれる場合には，課税事業者を選択して還付を受けた方が有利になる場合があります。

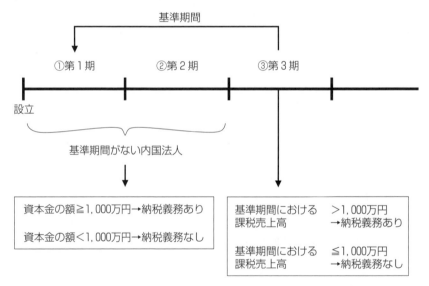

　(注)　いずれの場合においても，「消費税課税事業者選択届出書」が提出されている場合または適格請求書発行事業者の登録を受けた場合には納税義務が生じます。

　また，基準期間がない事業年度であっても，特定期間がある場合には，特定期間における課税売上高により納税義務の判定を行う必要があります。事業年度が1年の法人等の場合，特定期間における課税売上高による納税義務の判定は設立第2期目から生じます（第2章第2節5.参照）。

⑵　調整対象固定資産を購入した場合

　資本金の額または出資の金額が1,000万円以上である新たに設立された法人が，その基準期間がない課税期間中（簡易課税制度の適用を受ける課税期間を除く）に調整対象固定資産（第2章第7節3.⑶参照）の購入をした場合には，その調整対象固定資産を購入した日の属する課税期間から当該課税期間の初日以後3年を経過する日の属する課税期間までの各課税期間においては納税義務は免除されません（第2章第7節3.⑹参照）。

10.　特定新規設立法人の納税義務の免除の特例 （法12の3）

　新たに設立された法人で資本金の額または出資の金額が1,000万円未満であるものについては，新設法人の納税義務の免除の特例（第2章第2節9.参照）の適用がありません。したがって，1年決算法人を前提とした場合，原則として設立第1期目は基準期間および特定期間のいずれも存在しないため消費税の納税義務がなく，設立第2期目は基準期間が存在しないため，特定期間による課税売上高が1,000万円以下または特定期間がなく，かつ，適格請求書発行事業者の登録を受けていない場合には消費税の納税義務がありません。

　ただし，大規模法人の子法人として設立された法人についてまで，設立当初2年間にわたり消費税の納税義務が免除されることは，事業規模に応じた課税が行われなくなる可能性があり，租税回避につながる恐れもあります。そこで，次の要件を満たす場合には，納税義務は免除されません。

　⑴　その事業年度の基準期間がない法人で，その事業年度開始の日における資本金の額または出資の金額が1,000万円未満であること（以下，「新規設立法人」という）

　⑵　その新規設立法人が，その基準期間がない事業年度開始の日において，他の者により発行済株式等の50％超を直接または間接に保有されるなどの要件に該当すること

　⑶　上記⑵の要件に該当するかどうかの判定の基礎となった他の者および当該他の者と一定の特殊な関係にある法人のうちいずれかの者の当該新規設

立法人の当該事業年度の基準期間に相当する期間における課税売上高が5億円を超えていること

11.　高額特定資産を取得した場合等の納税義務の免除の特例（法12の4）

(1)　高額特定資産を取得した場合

課税事業者が，簡易課税制度の適用を受けない課税期間中に，高額特定資産（注1）の仕入れ等を行った場合には，当該高額特定資産の仕入れ等の日の属する課税期間の翌課税期間から，高額特定資産の仕入れ等の日の属する課税期間の初日以後3年を経過する日の属する課税期間までの各課税期間における消費税の納税義務は免除されません。

また，自己建設高額特定資産（注2）については，当該自己建設高額特定資産の建設等に要した仕入れ等の支払対価の額の累計額が1,000万円以上となった日の属する課税期間の翌課税期間から，当該建設等が完了した日の属する課税期間の初日以後3年を経過する日の属する課税期間までの各課税期間における消費税の納税義務が免除されないこととなります。

（注1）　高額特定資産とは，一の取引単位につき，課税仕入れに係る税抜支払対価の額が1,000万円以上の棚卸資産または調整対象固定資産（第2章第7節3.(3)参照）をいいます。

（注2）　自己建設高額特定資産とは，他の者との契約に基づき，またはその事業者の棚卸資産もしくは調整対象固定資産として自ら建設等をした高額特定資産をいいます。

高額特定資産の仕入れ等があった場合の納税義務の判定

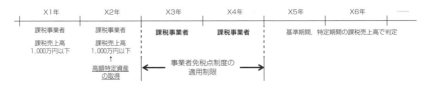

64

自己建設高額特定資産の仕入れ等があった場合の納税義務の判定

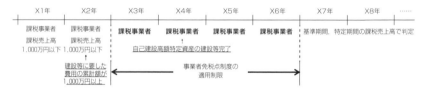

⑵　**高額特定資産である棚卸資産につき消費税の調整措置の適用を受けた場合**

　　免税事業者が高額特定資産または自己建設高額特定資産である棚卸資産について，免税事業者が課税事業者となる場合の棚卸資産に係る消費税額の調整（第2章第7節6参照）の規定の適用を受けた場合には，この規定の適用を受けた課税期間の翌課税期間から，この規定の適用を受けた課税期間（注）の初日以後3年を経過する日の属する課税期間までの各課税期間における消費税の納税義務は免除されません。

　　（注）　この規定の適用を受けることとなった日の前日までに建設等が完了していない自己建設高額資産については，当該建設等が完了した日の属する課税期間。

高額特定資産である棚卸資産につき消費税の調整措置の適用を受けた場合

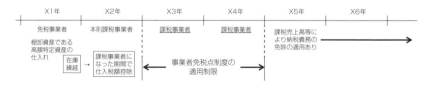

⑶　**金地金等の仕入れ等を行った場合**

　　課税事業者が簡易課税制度の適用を受けない課税期間中に国内における金地金等の課税仕入れまたは金地金等に該当する課税貨物の保税地域からの引取を行った場合（免税事業者が課税事業者となる場合の棚卸資産にかかる消費税額の調整の規定の適用を受けた場合を含む）において，当該課税期間中の当該金地金等の仕入れ等の金額の合計額が200万円以上である場合は，当該金地金等の仕入れ等を行った課税期間の翌課税期間から当該金地金等の仕入れ等を行った課税期間の初日以後3年を経過する日の属する課税期間までの各課税期間における消

費税の納税義務は免除されません。

金地金等の仕入れ等があった場合の納税義務の判定

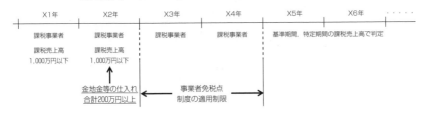

$$第3節　納　税　地$$

1．概　　要

納税地とは，個人事業者や法人が消費税に関する申告，届出などの手続きを行う際の基準地をいいます。

原則として，個人事業者はその住所地が，法人は本店所在地が納税地となり，その所轄税務署長に申告や届出を行うことになります。

2．個人事業者の納税地 (法20)

⑴　原　　則

個人事業者の納税地は，それぞれ次の場所となります。

① 国内に住所がある場合……住所地

② 国内に住所がなく，居所がある場合……居所地

③ 国内に住所および居所がない者で，国内に事務所等がある場合……事務所等がある場所（その事務所等が2か所以上ある場合には，そのうち中心となる事務所がある場所）

④ 上記①～③以外の場合……一定の場所

(注) 住所とは生活の本拠をいいます。

(2) 特　　例 (法21)

次の場合には納税地は，それぞれ次の場所となります。

① 国内に住所のほか居所を有する個人事業者が，所得税法に規定する納税地の特例の適用を受ける場合……その居所地

② 国内に住所または居所を有し，かつ，その住所地または居所地以外の場所に事務所等がある個人事業者が，所得税法に規定する納税地の特例の適用を受ける場合……その事務所等がある場所

③ 個人事業者が死亡した場合……その死亡した者の死亡当時の納税地

(注1) 所得税法に規定する納税地の特例とは，住所地以外の場所（例えば店舗がある場所）を納税地とする特例的取扱いをいいます。

(注2) 個人事業者の消費税の納税地は，原則として，所得税の納税地と同じです。

3．法人の納税地 (法22)

法人の納税地は，それぞれ次の場所となります。

① 内国法人の場合……本店または中心となる事務所がある場所

② 外国法人で日本国内に事務所等がある法人の場合……その事務所等がある場所（その事務所等が2か所以上ある場合には，そのうち中心となる事務所がある場所）

③ 上記①，②以外の場合……一定の場所

(注) 法人の消費税の納税地は，原則として，法人税の納税地と同じです。

4．納税地の指定 (法23)

(1) 内　　容

納税地を所轄する国税局長等は，個人事業者または法人の納税地が消費税の納税地として相応しくないと認められる場合には，納税地として相応しい場所を指定することができます。なお，納税地として相応しくない場合とは，例えば法人の場合，登記上本店とされている場所に実際は事務所等が存在せず，その他の場所に，事務所等が存在する場合などをいいます。

(2)　書面による通知

　納税地の指定をする場合には国税局長等は，その個人事業者または法人に対し，納税地を指定したことを書面により通知します。

　また，納税地として指定すべき適当な納税地がその国税局長の管轄区域外にある場合には，国税庁長官が指定します。

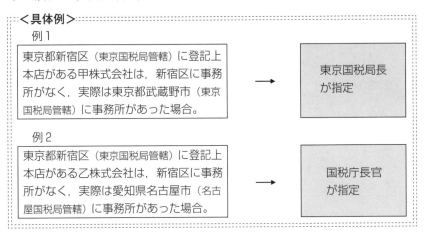

＜具体例＞

例1

| 東京都新宿区（東京国税局管轄）に登記上本店がある甲株式会社は，新宿区に事務所がなく，実際は東京都武蔵野市（東京国税局管轄）に事務所があった場合。 | → | 東京国税局長が指定 |

例2

| 東京都新宿区（東京国税局管轄）に登記上本店がある乙株式会社は，新宿区に事務所がなく，実際は愛知県名古屋市（名古屋国税局管轄）に事務所があった場合。 | → | 国税庁長官が指定 |

5．納税地の異動の届出 (法25)

　消費税の納税地が変わった場合には，すみやかに，その変わる前の納税地を所轄する税務署長に，納税地が変わった旨を書面により届け出なければなりません。なお，個人事業者に限り，異動についての届出書の提出は不要です。

第4節　課　税　期　間

1．個人事業者の課税期間

(1)　原　　　則 (法19①)

　個人事業者の課税期間(消費税の納税額を計算する対象となる期間)は，原則は暦年で1月1日から12月31日までです。

(注) 1年が一課税期間となります。

(2) 特　例

納税地を所轄する税務署長に届出をすることにより，課税期間を短縮することができます。課税期間の短縮は，以下の2通りの選択ができます。

① 3か月ごと (法19①三)

1月1日から3月31日まで，4月1日から6月30日まで，7月1日から9月30日まで，10月1日から12月31日までの各3月の期間を1つの課税期間とすることができます。

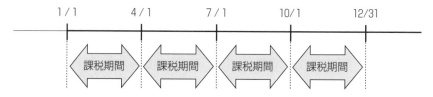

(注) 各3月の期間が一課税期間となります。

② 1か月ごと (法19①三の二)

1月1日から1か月ごとに区分した各期間，つまり各1月の期間を，1つの課税期間とすることができます。

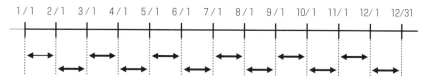

(注) 各1月の期間が一課税期間となります。

(3) 特例を選択する場合 (法19②)

課税期間の特例を選択するためには，納税地を所轄する税務署長に「消費税

課税期間特例選択・変更届出書」を提出しなければなりません。

その場合の提出期間は，課税期間の特例の適用を受けようとする期間の初日の前日までです。つまり，前課税期間の末日までに提出する必要があります。

(4)　特例を選択した場合の注意事項

課税期間の特例を選択した場合には，以下の注意事項があります。

①　特例が適用される時期

課税期間の特例は，提出した課税期間(届出書で選択した期間)の翌課税期間から，適用されます。

３か月ごとの課税期間の特例を選択した場合の例

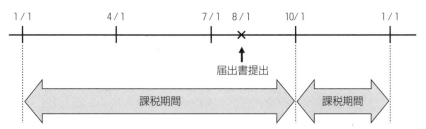

(注)　8月1日に届出書を提出した場合，3か月ごとの課税期間のうち最初にその課税期間の初日が到来する10月1日から届出の効力が発生します。

１か月ごとの課税期間の特例を選択した場合の例

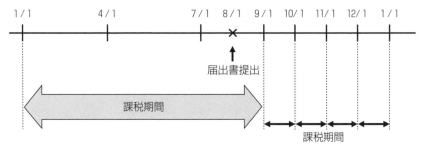

(注)　8月1日に届出書を提出した場合，1か月ごとの課税期間のうち最初にその課税期間の初日が到来する9月1日から届出の効力が発生します。

② 免税事業者となった場合 (法9，基通3-3-1)

その課税期間の基準期間の課税売上高が1,000万円以下となった場合には，免税事業者となり消費税が課税されません。その場合でも，「消費税課税期間特例選択・変更届出書」を提出して課税期間の特例制度を選択していた事業者には，その届出の効力は継続しています。

つまり，その後，再び基準期間の課税売上高が1,000万円を超えた場合には，課税期間の特例制度は引き続き選択していることになります。

届出の効力は，「消費税課税期間特例選択不適用届出書」を提出するまで継続されます。

③ 相続の場合 (基通3-3-2)

相続によって被相続人の個人事業を引き継ぐ場合には，被相続人が提出した「消費税課税期間特例選択・変更届出書」の効果は，相続人には及びません。継続して適用を受ける場合には，新たに相続人が届出書を提出する必要があります。

この場合において，相続人が，相続があった日の属する課税期間（被相続人が適用を受けていた短縮後の課税期間）中に届出書を提出したときは，その届出書を提出した日の属する課税期間より届出の効力が生じます。

④ 特例を変更する場合 (法19①②⑤)

3か月ごとの課税期間の特例を選択していた個人事業者が1か月ごとの課税期間の特例に変更する場合または1か月ごとの課税期間の特例を選択していた個人事業者が3か月ごとの課税期間の特例に変更する場合には，「消費税課税期間特例選択・変更届出書」を所轄の税務署長に提出しなければなりません。

届出書の効力は，それぞれ提出の日の属する「変更後の課税期間」の翌課税期間の初日以後に生じます。したがって，1か月ごとの課税期間の特例を選択していた個人事業者が，その年の1月15日に3か月ごとの課税期間の特例に変更するための届出書を提出した場合には，届出書の効力は，4月1日から生ずることとなり，1月1日～1月31日，2月1日～2月末

日，3月1日～3月31日の期間は1か月ごとの課税期間となります。

　なお，「消費税課税期間特例選択・変更届出書」を提出した個人事業者は，事業を廃止した場合を除き，届出の効力が生ずる日から2年を経過する日の属する「変更前の課税期間」の初日以後でなければ，再変更のための「消費税課税期間特例選択・変更届出書」の提出を行うことはできません。

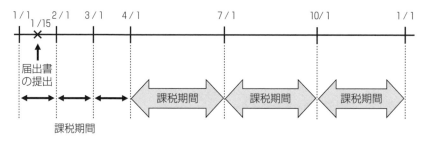

　（注）　4月1日前においては，1か月ごとの課税期間が引き続き適用されます。

⑤　特例を取りやめたい場合　(法19③④)

　課税期間の特例を選択した個人事業者が事業を廃止した場合，または，特例の適用を取りやめたい場合には，「消費税課税期間特例選択不適用届出書」を提出しなければなりません。

　届出書の効力は，それぞれ提出の日の属する課税期間の翌課税期間の初日以後に生じます。したがって，課税期間の特例を取りやめようとする課税期間の前課税期間の末日までに提出しなければなりません。

　なお，「消費税課税期間特例選択・変更届出書」を提出した個人事業者は，事業を廃止した場合を除き，届出の効力が生ずる日から2年を経過する日の属する課税期間の初日以後でなければ，「消費税課税期間特例選択不適用届出書」の提出を行うことはできません。

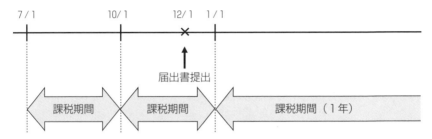

課税期間の特例（3か月）を取りやめる場合

2．法人の課税期間

(1) 原 則 （法19①）

法人の課税期間（消費税を計算する対象となる期間）は，事業年度です。

新たに設立された法人の場合には，課税期間の開始の日は以下のとおりとなります。

① 設立の登記により成立する法人

設立の登記をした日

② 行政の認可または許可により成立する法人

行政の認可または許可の日

(2) 特 例

納税地を所轄する税務署長に届出をすることにより，課税期間を短縮することができます。課税期間の短縮は，以下の2通りの選択ができます。

① 3か月ごと （法19①四）

事業年度を，その開始の日から3か月ごとに区分した各期間を，それぞれ1つの課税期間とすることができます。

事業年度が 4 ／ 1 〜 3 ／31の場合の例

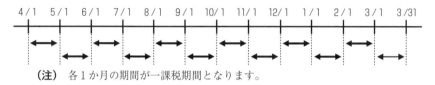

(注)　各3か月の期間が一課税期間となります。

② **1か月ごと** (法19①四の二)

　事業年度を，その開始の日から1か月ごとに区分した各期間を，それぞれ1つの課税期間とすることができます。

(注)　各1か月の期間が一課税期間となります。

(3)　特例を選択する場合 (法19②)

　課税期間の特例を選択するためには，個人と同様，納税地を所轄する税務署長に，「消費税課税期間特例選択・変更届出書」を課税期間の特例の適用を受けようとする期間の初日の前日までに提出しなければなりません。つまり，前課税期間の末日までに提出する必要があります。

(4)　特例を選択した場合の注意事項

　課税期間の特例を選択した場合には，以下の注意事項があります。

①　特例が適用される時期

　課税期間の特例は，提出した課税期間(届出書で選択した期間)の翌課税期間から適用されます。

㈦ 3か月ごとの課税期間の特例を選択した場合の例

事業年度が１年（４／１〜３／31）の場合

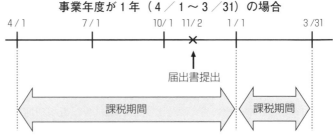

(注) 11月２日に届出書を提出した場合，３か月ごとの課税期間のうち最初にその課税期間の初日が到来する１月１日から届出の効力が発生します。

㈢ 1か月ごとの課税期間の特例を選択した場合の例

事業年度が１年（４／１〜３／31）の場合

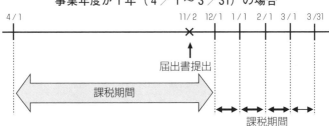

(注) 11月２日に届出書を提出した場合，１か月ごとの課税期間のうち最初にその課税期間の初日が到来する12月１日から届出の効力が発生します。

② 免税事業者となった場合 （法９，基通３−３−１）

　その課税期間の基準期間の課税売上高が1,000万円以下になった場合には，その法人は免税事業者となり，消費税は課税されません。その場合でも，「消費税課税期間特例選択・変更届出書」を提出している法人には，その届出の効力は継続しています。

　つまり，その後，再び基準期間の課税売上高が1,000万円を超えた場合には，その法人は課税期間の特例制度を引き続き選択していることになります。

　届出の効力は，「消費税課税期間特例選択不適用届出書」を提出するまで

継続されます。

③　合併・分割の場合（令41①三・四，基通3－3－3，－4）

　　被合併法人が提出した届出書の効力は合併法人に及びません。また，分割法人が提出した届出書の効力は，分割承継法人には及びません。そのため，合併法人や分割承継法人が課税期間の特例の適用を受けるためには，新たに合併法人や分割承継法人として届出書を提出しなければなりません。

　　この場合において，合併法人が，合併があった日の属する課税期間（被合併法人が適用を受けていた短縮後の課税期間）中に届出書を提出したとき，または，分割承継法人が吸収分割があった日の属する課税期間（分割法人が適用を受けていた短縮後の課税期間）中に届出書を提出したときは，その提出をした日の属する課税期間より届出の効力が生じます。

> **＜合併があった場合の課税期間の特例の効力**（令41①三，基通3－3－3）**＞**
>
> 　　合併があった場合における課税期間の特例の効力は，以下の条件では，次の図の取扱いとなります。
>
> **＜前提条件＞**
>
> ・被合併法人・合併法人の事業年度は共に4／1～3／31
>
> ・被合併法人は3か月の課税期間の特例を受けていた
>
> ・8／1付けで合併
>
> ・8／10に，合併法人は3か月の課税期間特例の届出を提出
>
>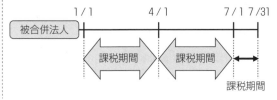

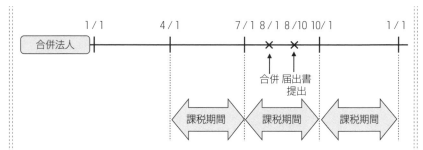

(注1) 被合併法人が提出した課税期間特例選択・変更届出書の効力は，合併法人には及びません。

(注2) 合併法人における届出書の効力発生日は，7／1です。
合併法人が，合併のあった課税期間中に「消費税課税期間特例選択・変更届出書」を提出した場合には，翌課税期間ではなく届出書を提出した課税期間から課税期間の特例が適用されます。したがって，上記の例では，8／10に提出した届出の効力は7／1から生じることとなります。

④ **特例を変更する場合** (法19①②⑤)

3か月ごとの課税期間の特例を選択していた法人が1か月ごとの課税期間の特例に変更する場合，または1か月ごとの課税期間の特例を選択していた法人が3か月ごとの課税期間の特例に変更する場合には，「消費税課税期間特例選択・変更届出書」を納税地を所轄する税務署長に提出しなければなりません。

届出書の効力は，それぞれ提出の日の属する「変更後の課税期間」の翌課税期間の初日以後に生じます。

なお，「消費税課税期間特例選択・変更届出書」を提出した法人は，事業を廃止した場合を除き，届出の効力が生ずる日から2年を経過する日の属する「変更前の課税期間」の初日以後でなければ，再変更のための「消費税課税期間特例選択・変更届出書」の提出を行うことはできません。

⑤ **特例を取りやめたい場合** (法19③④)

課税期間の特例を選択した法人が事業を廃止した場合，または，特例の適用を取りやめたい場合には，「消費税課税期間特例選択不適用届出書」を

提出しなければなりません。

　届出書の効力は，それぞれ提出の日の属する課税期間の翌課税期間の初日以後に生じます。したがって，課税期間の特例を取りやめようとする課税期間の前課税期間の末日までに提出しなければなりません。

　なお，「消費税課税期間特例選択・変更届出書」を提出した法人は，事業を廃止した場合を除き，届出の効力が生ずる日から2年を経過する日の属する課税期間の初日以後でなければ，「消費税課税期間特例選択不適用届出書」の提出を行うことはできません。

<課税期間短縮制度が設けられている趣旨>

　　例えば，輸出を専門とする事業者は，経常的に消費税の還付が生じる場合があります（輸出取引に係る売上げについては消費税を預からないにもかかわらず，これに対応する仕入れに係る支払った消費税を控除することができるため）。このようなケースにおいて，原則の課税期間（1年）のままとすると，消費税が還付されるまでの期間が長く，一時的に資金負担が重くなることが想定されます。そこで，このような事業者について資金負担の軽減を図る観点から課税期間の短縮制度が設けられています。

第5節　資産の譲渡等の時期

1．納税義務の成立時期 （通則法15②七）

　課税資産の譲渡等または輸入取引に係る消費税の納税義務が成立する時期は，「課税資産の譲渡等をした時」，または「保税地域から課税貨物を引き取る時」になります。

２．資産譲渡等の時期の原則

(1) 棚卸資産の譲渡等の時期 （基通9－1－1，9－1－2）

棚卸資産の譲渡の時期は，出荷日・買主側の検収日等，引渡しの日として合理的と認められる日になります。

なお，棚卸資産が土地または借地権等の場合で，その引渡しの日が明らかでないときは，代金のおおむね50％以上を受け取った日と所有権移転登記の申請（申請に必要な書類の相手方への交付を含む）をした日とのいずれか早い日に引渡しがあったものとすることができます。

取 引		譲渡等の時期
棚卸資産	原則	その引渡しの日
	土地等で引渡しの日が不明のもの	代金のおおむね50％以上を受け取った日と所有権移転登記の申請の日のいずれか早い日

(2) 請負による資産の譲渡等の時期 （基通9－1－5，9－1－6）

物の引渡しを必要とする請負による資産の譲渡等の時期は，目的物の全部を引き渡した日となり，物の引渡しを要しない請負の譲渡等の時期は，契約した役務の全部を終了した日になります。

ただし，請負の内容が建設，造船等の工事を行うことを目的とされている場合の資産の譲渡等の時期は，作業完了日・相手方へ搬入した日等，引渡しの日として合理的と認められる日になります。

取 引		譲渡等の時期
請負	物の引渡しあり	目的物の全部を引き渡した日
	物の引渡しなし	役務の全部を完了した日

⑶　**有価証券等の譲渡の時期**（基通9-1-17，9-1-17の2，9-1-17の3，9-1-18）

　有価証券等の譲渡の時期は，引渡しの日になります。

　ただし，法人が法人税法の規定により譲渡の日を「その譲渡の契約日」としているときは，その契約日が譲渡の日になります。

　また，未発行株式の譲渡の日は，代用物が発行されているときは代用物の引渡しの日になり，代用物が発行されていないときは譲渡の意思表示があった日になります。

取　　　　引			譲渡等の時期
有価証券等	原則		その引渡しの日
	未発行株式	代用物発行あり	
		代用物発行なし	譲渡の意思表示日
	合名会社の出資持分等		
	信用取引・発行日取引		売付け取引決済日

⑷　**固定資産の譲渡等の時期**（基通9-1-2，9-1-13）

　固定資産の譲渡の時期は，買主側が使用することができるようになった日等，引渡しの日として合理的と認められる日になります。

　なお，固定資産が土地または借地権等の場合で，その引渡しの日が明らかでないときは，代金のおおむね50％以上を受け取った日と，所有権移転登記の申請（申請に必要な書類の買主への交付を含む）をした日とのいずれか早い日に引渡しがあったものとすることができます。

取　　　引		譲渡等の時期
固定資産	原則	その引渡しの日
	土地等で引渡しの日が不明のもの	代金のおおむね50％以上を受け取った日と所有権移転登記の申請の日のいずれか早い日

(5) 売買として取り扱われるリース取引があった場合 （基通5－1－9）

　所得税法，法人税法の規定により売買があったものとされるリース取引については，当該リース取引の目的となる資産の引渡しの時に資産の譲渡があったこととされます。

　この場合の対価の額は，当該リース取引に係る契約において定められたリース資産の賃貸借期間中に収受すべきリース料の合計額となります。

3．リース譲渡に係る資産の譲渡等の時期の特例

(1) 特例の内容 （法16）

　資産の譲渡等の時期は原則として引渡し等を行った課税期間です。しかし，リース譲渡が行われた場合において，当該リース譲渡につき延払基準の方法により経理することとしているときは，資産の引渡し等を行った課税期間に譲渡対価全額の資産の譲渡等があったとするのではなく，賦払金の支払期日が到来する各課税期間においてその賦払金相当額の資産の譲渡等があったものとみなすことができます。

選択適用	譲渡等の時期
原　則	資産の引渡しの日
特　例	賦払金の支払期日が到来する日

　　(注)　延払基準とは，収益計上基準のひとつで収益を賦払金の支払期日に応じて計上する基準です。

⑵　取　扱　い

①　引渡し等を行った課税期間 （法16①）

　　リース譲渡を行った最初の課税期間（引渡課税期間）は，その課税期間に支払期日が到来する賦払金の額に相当する資産の譲渡等が行われたものとします。

　　ただし，その課税期間後に支払期日が到来する賦払金のうち引渡課税期間に支払いを受けた金額は，引渡課税期間に資産の譲渡等が行われたものとします。算式に示すと次のとおりになります。

> 引渡課税期間に支払期日が到来する賦払金の合計額　＋　引渡課税期間の翌課税期間以後に支払期日が到来する賦払金のうち，引渡課税期間において支払いを受けた金額

②　①の翌課税期間以後 （法16②）

　　引渡課税期間の翌課税期間以後は，それぞれの課税期間に支払期日が到来する賦払金額が譲渡対価の額となります。

　　この場合に「それぞれの課税期間に支払期日が到来する賦払金額」は，その課税期間前にすでに支払いを受けている金額を除き，その課税期間後に支払期日が到来する賦払金のうちその課税期間に支払いを受けた金額を含めます。算式に示すと次のとおりです。

> その課税期間に支払期日が到来する賦払金の合計額　＋　翌課税期間以後に支払期日が到来する賦払金のうち，その課税期間において支払いを受けた金額　－　その課税期間において支払期日が到来する賦払金のうち，すでに前課税期間以前に支払いを受けた金額

③　延払基準により経理をしなかった場合等 （令32①）

　　引渡課税期間の翌課税期間以後に延払基準により経理をしなかった場合は，経理をしなかった課税期間以後はこの特例の適用はなくなります。

　　なお，特例の適用がなくなった場合には，その適用がなくなった課税期間については，その課税期間以後に支払期日が到来する賦払金の全額（こ

れらの課税期間前にすでに支払いを受けているものは除く）を譲渡対価の額とします。

<＜特例の具体例＞>

対価の額…750

各課税期間に支払期日が到来する賦払金の額

課税期間	Ⅰ期	Ⅱ期	Ⅲ期
賦払金の額	100	400	250

(注) Ⅲ期に支払期日が到来する賦払金（250）のうち，50については，Ⅱ期に回収しています。

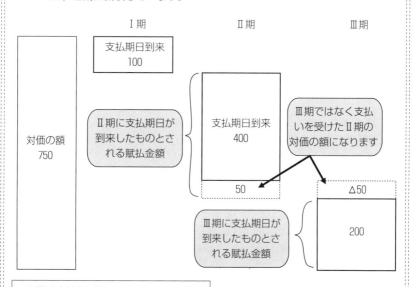

Ⅰ期の対価の額……100

Ⅱ期の対価の額……400＋50＝450

Ⅲ期の対価の額……250－50＝200

Ⅰ期については，支払期日が到来する賦払金の額100の資産の譲渡等が行われたものとします。

　Ⅱ期については，Ⅱ期に支払期日が到来する賦払金の額400に，本来Ⅲ期に支払期日が到来する賦払金の額のうち，Ⅱ期において支払われた50を加えた450の資産の譲渡等が行われたものとします。

　Ⅲ期については，Ⅲ期に支払期日が到来する賦払金の額250のうち，すでにⅡ期において支払われた50を控除した額200の資産の譲渡等が行われたものとします。

4．工事の請負に係る資産の譲渡等の時期の特例

(1)　特例の内容（法17①②）

　資産の譲渡等の時期は原則として資産の引渡し等を行った課税期間です。しかし，工事進行基準を適用している工事については，引渡し等を行った課税期間に譲渡対価全額の資産の譲渡等があったとするのではなく，工事期間中の各課税期間に支出される工事原価の見積工事原価総額に占める割合に応じた資産の譲渡等があったとすることができます。

選択適用	譲渡等の時期
原　　則	資産の引渡しの日
特　　例(注)	工事進行基準により譲渡を行ったとされる日

(注)　工事進行基準により経理していることが要件です。
　　　工事進行基準とは，収益計上基準のひとつで，収益を工事の完成度合いに応じて計算する基準です。

(2)　工事進行基準

①　工事進行基準が適用される工事

(イ)　長期大規模工事（強制適用）（法法64①）

　長期大規模工事とは，次の3つの要件を満たすものをいい，長期大規模工事に該当する場合には，必ず工事進行基準を適用しなければなりません（強制適用）。

　⒜　着手日から契約上の引渡期日までの期間が１年以上であること

　⒝　請負対価の額が10億円以上であること

　⒞　契約上，請負対価の額の２分の１以上が引渡期日から１年を経過する日後に支払われないこととされていること

　㈡　その他の工事（工事完成基準との選択適用）（法17②）

　　長期大規模工事に該当しない工事で，その着手の日の属する年または事業年度中に目的物の引渡しが行われないものについては，工事完成基準と工事進行基準のいずれかを選択することができます（選択適用）。

収益計上基準と工事の種類

収益計上基準		工事の種類
工事進行基準	強制適用	長期大規模工事
工事完成基準	選択適用	目的物の引渡しが翌事業年度となる工事
	強制適用	上記以外の工事

② 　各課税期間の収入金額

　　次の算式により計算した金額を各課税期間の収入の金額とします。

　㈠　着工課税期間

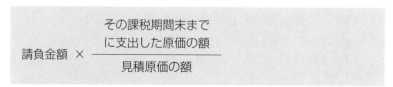

　㈡　㈠の翌課税期間～㈢の前課税期間

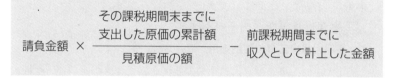

(ハ)　**引渡課税期間**

請負金額　－　前課税期間までに収入として計上した金額

(3)　取　扱　い

①　引渡課税期間前までの各課税期間 (法17①②)

　　引渡課税期間前までの各課税期間は，それぞれの課税期間において上記(2)②(イ)(ロ)により計算をした金額の資産の譲渡等があったものとして消費税額を計算します。

②　引渡課税期間 (法17③)

　　上記(2)②(ハ)により計算した金額の資産の譲渡等があったものとして消費税を計算します。

③　工事進行基準により経理をしなかった場合等

　　上記(2)①(ロ)の工事の場合において，その後工事進行基準の方法により経理をしなかったときは，その課税期間からこの特例の適用を受けられなくなります。

　　この場合には，その課税期間において請負金額から適用を受けられなくなった課税期間の前課税期間までに収入に計上した金額を控除した金額の資産の譲渡等があったものとして消費税を計算します。

④　工事の請負に係る特例の適用を受けない場合 (基通9−4−1)

　　所得税法または法人税法に規定する工事進行基準の方法により経理している場合であっても，消費税の取扱いについてはこの特例の適用を受けずに，その引渡しのあった日を工事の請負に係る資産の譲渡等の時期とすることも認められています。

　(注)　所得税または法人税の所得金額の計算上，工事進行基準によらなければならない長期大規模工事の場合であっても，資産の譲渡等の時期をその引き渡しのあった日によることができます。

＜特例の具体例＞

対価の額…1,200　　　　　見積工事原価の額…600

各課税期間の工事原価の額

課税期間	Ⅰ期	Ⅱ期	Ⅲ期
工事原価の額	100	350	150

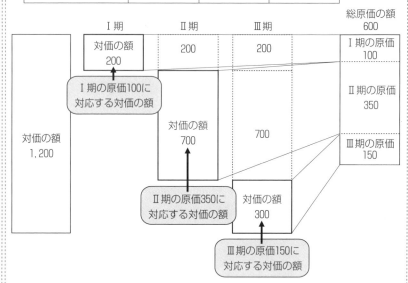

Ⅰ期（着工課税期間）の対価の額

$$1,200 \times \dfrac{\overset{\text{Ⅰ期の原価の額}}{100}}{\underset{\text{見積工事原価の額}}{600}} = 200$$

（対価の額）

　見積工事原価（600）のうちⅠ期において支出された工事原価の額（100）に対応する対価の額（200）の資産の譲渡等が行われたものとします。

Ⅱ期（着工課税期間の翌課税期間から引渡課税期間の直前課税期間）の対価の額

$$
\underset{\text{対価の額}}{1,200} \times \cfrac{\overset{\text{Ⅱ期までに支出した原価の額}}{450}}{\underset{\text{総原価の額}}{600}} - \underset{\text{Ⅰ期の売上計上額}}{200} = 700
$$

　見積原価（600）のうち，Ⅱ期までに支出した工事原価の額（100＋300＝450）に対応する対価の額からⅠ期において計上した対価の額（200）を控除した金額（700）の資産の譲渡等が行われたものとします。

Ⅲ期（目的物の引渡課税期間）の対価の額

$$
\underset{\text{対価の額}}{1,200} - \underset{\text{Ⅰ・Ⅱ期で売上げに計上した金額}}{(200+700)} = 300
$$

5．小規模事業者に係る資産の譲渡等の時期等の特例（現金主義）

(1)　特例の内容（法18）

　資産の譲渡等の時期は原則として資産の引渡し等の日ですが，所得税法の規定により現金主義により所得税を計算している個人事業者は，譲渡対価の額を受け取った日および課税仕入れの費用を支払った日に資産の譲渡等および課税仕入れを行ったもの，すなわち現金主義により消費税額を計算することができます。

選択適用	譲渡等の時期
原　則	資産の引渡し等の日
特　例	対価の額の収受日，費用の額の支払日

(2)　現金主義を採用できる個人事業者（所法67，所令195）

　所得税法上，現金主義を採用できる個人事業者は，青色申告書を提出しており，その前々年の不動産所得の金額または事業所得の金額の合計額が300万円

以下の者に限られます。

> **＜具体例＞**
>
> 対価の額1,000で資産の譲渡等した場合で引渡しがＸ年，対価の収受
> がＸ＋1年の場合
>
>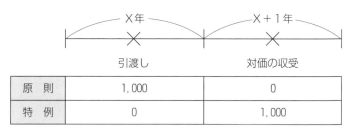
>
> | 原　則 | 1,000 | 0 |
> |---|---|---|
> | 特　例 | 0 | 1,000 |
>
> 　上記の場合，原則は，引渡しが行われた課税期間（Ｘ年）において
> 資産の譲渡等が行われたことになりますが，所得税法上，現金主義が
> 認められる場合には，対価の収受が行われた課税期間（Ｘ＋1年）に
> 資産の譲渡等が行われたものとします。

第6節　課税標準および税率

1．課　税　標　準

　課税標準とは，消費税額を計算する際の基礎となる金額をいい，この課税標
準に税率を乗ずることによって，売上げに係る消費税額が計算されます。

(1)　課税資産の譲渡等に係る消費税の課税標準

①　原　　　　則（法28①，基通10−1−1，10−1−3）

　課税資産の譲渡等に係る消費税の課税標準は，課税資産の譲渡等により
収受することとした対価の額（税抜）とされています。

　この対価の額とは，対価として受け取る，または受け取るべき一切の金
銭，金銭以外の物，権利その他経済的な利益の額をいいます。

　なお，「金銭以外の物，権利その他経済的な利益」とは，例えば対価とし
て金銭以外の物，権利を受け取ったり，金銭を無利息や通常の利率よりも
低い利率で借り受ける等，実質的に資産の譲渡等の対価と同様の経済的な
効果をもたらすものをいいます。

② 　**低額譲渡があった場合の課税標準**（法28①，基通10－1－2）

　　法人が時価のおおむね50％未満の譲渡対価で資産を自社の役員に譲渡し
た場合には，消費税法上，低額譲渡として取り扱われます。

　　低額譲渡が行われた場合の課税標準は，実際の対価の額ではなくその譲
渡した資産の時価となります。

　　ただし，譲渡した資産が棚卸資産である場合には，その資産の仕入金額
以上で，かつ，その資産の販売価額のおおむね50％以上の金額を譲渡対価
として譲渡しているときには，低額譲渡には該当せず，時価ではなく実際
の対価の額が課税標準となります。

資産の種類	低額譲渡に該当する場合の要件	課税標準に計上する金額
棚卸資産以外	時価×おおむね50%　未満	譲渡した資産の時価
棚卸資産	仕入金額未満または 販売価額×おおむね50%　未満	

(注)　自社の使用人や他社の役員に譲渡した場合は，低額譲渡には該当しません。

③ 　**みなし譲渡があった場合の課税標準**（法28③一，二，基通10－1－18）

　　個人事業者が事業用資産を家事に使用したり，法人が自社の役員に資産
を贈与した場合には，消費税法上みなし譲渡として取り扱われます。

　　みなし譲渡が行われた場合に課税標準とすべき金額は，その資産の時価
になります。

　　消費税は原則として無償取引には課税されませんが，みなし譲渡に該当
する取引については資産の時価により資産の譲渡を行ったものとみなして
消費税が課されます。

　　ただし，みなし譲渡をした資産が棚卸資産である場合には，その仕入金

額とその販売価額のおおむね50%に相当する金額とのいずれか大きい金額を課税標準とすることができます。

事業者	みなし譲渡に該当する取引形態	課税標準に計上する金額
個人事業者	家事のための消費	①　消費または贈与した資産の時価 ②　消費または贈与した資産が棚卸資産の場合 　下記のうちいずれか大きい金額 ・仕入金額 ・販売価額×50%
法　　人	自社の役員への贈与	

(注)　個人事業者の事業用と家事用の兼用，法人の使用人や他社役員への贈与はみなし譲渡に該当しません。

④　資産の譲渡等に類するものの課税標準

次のそれぞれの行為に該当する場合の対価の額はそれぞれ次に定める金額になります。

㈠　代物弁済があった場合の課税標準（令45②一）

代物弁済とは借入金等の返済を金銭に代えて資産で行うことをいいます。

この場合の課税標準は，代物弁済により消滅する借入金等の金額になります。

なお，譲渡される資産の価額が借入金等の金額を超えることにより，その差額に相当する金銭の支払いを受けたときは，課税標準とすべき金額は消滅する借入金等の金額とその金銭の額の合計額となります。

＜具体例＞

課税標準計上額……1,000

| 当　社 | ←　借入金　1,000 | 債権者 |
| 　 | 資産（時価950）で返済　→ | 　 |

上記の場合，課税標準に計上すべき金額は，消滅した借入金の額

(1,000) となります。

㈑　負担付贈与があった場合の課税標準（令45②二）

　負担付贈与とは借入金等を返済してもらうこと等を条件として資産を贈与することをいいます。この場合の課税標準とすべき金額は，返済してもらう借入金等の金額になります。

＜具体例＞

課税標準計上額……1,000

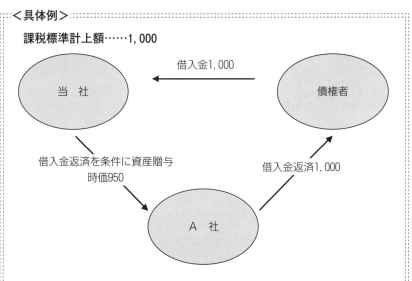

　上記の場合，当社が課税標準に計上すべき金額は，A社に返済してもらう借入金の額（1,000）となります。

㈒　現物出資があった場合の課税標準（令45②三）

　現物出資とは金銭以外の資産を出資することをいいます。

　この場合の課税標準とすべき金額は，現物出資により取得する株式等の取得時の時価になります。

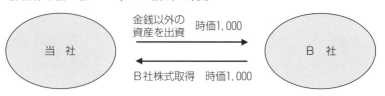

<＜具体例＞>

課税標準計上額……1,000（株式の時価）

上記の場合，課税標準に計上すべき金額は，現物出資により取得するＢ社株式の時価（1,000）となります。

(ニ) 資産の交換があった場合の課税標準 （令45②四）

交換があった場合の課税標準とすべき金額は，その交換により取得する資産の取得時の時価になります。

なお，取得する資産の価額と譲渡する資産の価額との差額を補うための金銭の取得または金銭の支払いがあるときは，取得した金銭を加算した金額，または支払った金銭を控除した金額が課税標準になります。

<＜具体例＞>

課税標準計上額……900＋100＝1,000

上記の場合，課税標準に計上すべき金額は，交換により取得する資産の時価（900）と交換により取得する金銭（100）の合計額（1,000）となります。

⑵ 特定課税仕入れに係る消費税の課税標準 （法28②）

特定課税仕入れに係る消費税の課税標準は，特定課税仕入れに係る支払対価の額とされます。

(3)　輸 入 取 引 (法28④)

保税地域から引き取られる課税貨物の消費税の課税標準は, 関税定率法の規定に準じて算出した価格（ＣＩＦ価格）とその課税貨物の保税地域からの引取りに係る消費税以外の消費税等（酒税・たばこ税・石油石炭税等）と関税の額との合計額になります。

2．税　　　率 (法29)

(1)　原　　　則

消費税（国税）の税率は7.8％です。地方消費税は消費税に22／78を乗じて計算されます（税率に換算すると2.2％）。つまり, 消費税と地方消費税を合わせた税率が10％(7.8％＋2.2％)となります。

当該税率は, 令和元年10月１日以後の資産の譲渡等から適用されています。税率とその適用時期をまとめると次のとおりです。

適用時期	税　　　率
平成９年４月１日	5％（消費税率４％, 地方消費税率１％）
平成26年４月１日	8％（消費税率6.3％, 地方消費税率1.7％）
令和元年10月１日	〈標準税率〉 10％（消費税率7.8％, 地方消費税率2.2％） 〈軽減税率〉 8％（消費税率6.24％, 地方消費税率1.76％）

(2)　軽 減 税 率

消費税率10％（消費税率（国税）7.8％, 地方消費税率2.2％）への引上げにあわせて, 税率引上げ以後に行う一定の飲食料品の譲渡, および, 一定の新聞の譲渡については, 軽減税率８％（消費税率（国税）6.24％, 地方消費税率1.76％）が導入されました。

①　飲 食 料 品

軽減税率が適用される飲食料品とは, 食品表示法に規定する食品をい

い，酒税法に規定する酒類および外食サービス等一定のものは対象から除かれます。軽減税率の対象品目のイメージは下図のとおりです。

軽減税率の対象となる飲食料品の範囲

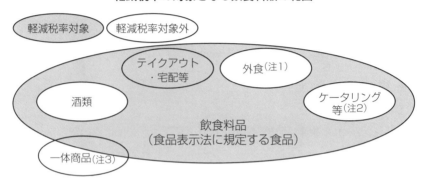

（注1） 外食：食品衛生法施行令に規定する飲食店営業および喫茶店営業ならびにその他の飲食料品をその場で飲食させる事業を営む者が行う食事の提供をいいます。

（注2） ケータリング：相手方の指定した場所において行う加熱，調理または給仕等の役務を伴う飲食料品の提供をいいます。

（注3） 一体商品：食品と食品以外の資産があらかじめ一体となっている資産です。その一体となっている資産に係る価格のみが提示されているもののうち，税抜価額が1万円以下であって，食品に係る部分の価額の占める割合が3分の2以上のものに限り，全体が軽減税率の対象となります。

② 新　　　聞

　軽減税率の対象となる新聞とは，定期購読契約が締結された新聞のうち，一定の題号を用い，政治，経済，社会，文化等に関する一般社会的事実を掲載する週2回以上発行されるものに限られます。

第7節　税額控除等

1．仕入税額控除

(1)　概　　要（法30①）

事業者が納める消費税は，「売上げにより預かった消費税額」から「仕入れにより支払った消費税額」を控除することにより計算されます。消費税法では，「仕入れにより支払った消費税額」を控除することを「仕入税額控除」といい，控除する金額を「控除対象仕入税額」といいます。

仕入税額控除の考え方

納税額＝売上げに係る消費税額－仕入れに係る消費税額

(2)　課税仕入れ等

①　課税仕入れ（法2①十二）

消費税法でいう仕入れとは，棚卸資産の購入や外注費の支払いなど売上原価に関するものだけではなく，消耗品の購入や水道光熱費・家賃などの経費の支払い，建物などの資産の購入等事業者が事業として行うすべての支出を指します。そのうち，次のすべての要件を満たす取引を，「課税仕入れ」とし，その課税仕入れに係る消費税額を「控除対象仕入税額」の計算の基礎とします。

⑷　国内取引であること

⑿　事業者が事業として行った取引であること

(ハ) 対価の支払いがあること

(ニ) 資産の譲受け，借受け，役務の提供を受けること

    (注) したがって，対価性のない寄附などは課税仕入れに該当しません。

(ホ) 給与等を対価とする役務の提供でないこと

(ヘ) 非課税取引でないこと

(ト) 免税取引でないこと

  つまり，この要件を満たすということは，相手方にとって課税売上げとなる取引が，課税仕入れに該当するということです（免税取引は除く）。

  なお，課税仕入れのうち特定仕入れに該当するものは，特定課税仕入れとして，通常の課税仕入れとは別の取扱いにより仕入税額控除の対象となります（通常の課税仕入れからは除かれる）。

課税仕入れの要件フローチャート

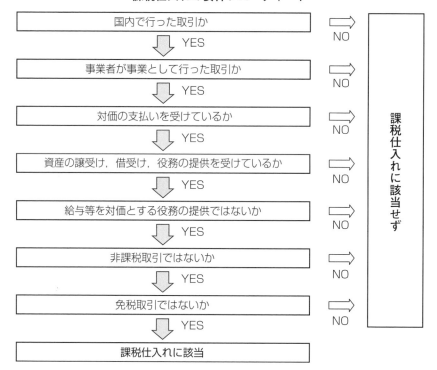

<留意点>

　　課税仕入れに該当するか否かの判断上，次のことに留意してください。

①　仕入れの相手方には，課税事業者および免税事業者のほか，消費者が含まれます。

　　ただし，適格請求書発行事業者以外からの課税仕入れは，原則として仕入税額控除の対象にはなりません（詳細は，第２章第７節１. ⑹仕入税額控除の適用要件参照）。

②　仕入れの際に支払った金銭の源泉は問いません。

　　したがって，例えば保険金や補助金を財源として資産を購入した場合も要件を満たすときには，課税仕入れに該当します（基通11－2－8）。

③　仕入れた商品などが最終的に売り上げられたかどうかは，問いません。

　　したがって，例えば，仕入れた商品が事故や盗難などにより滅失し，結果的に，当該仕入商品で資産の譲渡等を行うことができなくなった場合でも課税仕入れに該当します（基通11－2－9）。

②　特定課税仕入れ

　　特定課税仕入れとは，課税仕入れのうち特定仕入れに該当するものをいいます。国内において特定課税仕入れを行った事業者は，その特定課税仕入れに係る消費税を納める義務があるとともに，その消費税については仕入税額控除の対象となります（詳細は第２章第２節１. 納税義務者参照）。

③　保税地域から課税貨物の引取り

　　保税地域から課税貨物を引き取るときに支払った消費税額を「控除対象仕入税額」の計算の基礎とします（輸入取引，第３章参照）。

(3) 課税仕入れの具体的範囲

① 「出張旅費 宿泊費 日当等」<small>(基通11－6－4，規15の4②)</small>

「出張旅費・宿泊費・日当等」のうち通常必要範囲内の金額は，課税仕入れに該当します。ただし，「海外の出張旅費・宿泊費・日当等」は，原則として課税仕入れに該当しません。

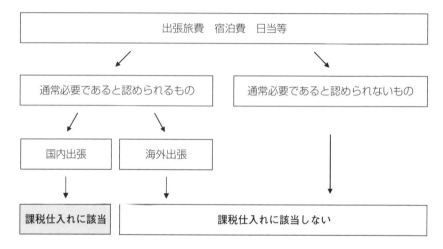

② 通 勤 手 当 <small>(基通11－6－5，規15の4③)</small>

通勤手当のうち通常必要範囲内の金額は，課税仕入れに該当します。なお，現金支給だけでなく，定期券等の支給など現物による支給も含みます。

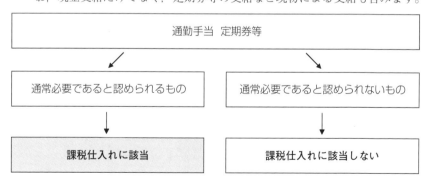

<留意点>

　　所得税法上は，非課税限度額（月15万円）を超える部分の通勤手当
は，給与として取り扱われますが，消費税法上は，通常必要の範囲内
であれば，上限金額なく通勤手当として課税仕入れに該当します。

③　**現物給与**（基通11-2-1）

　　物品などを給与として現物支給した場合には，所得税法上，給与の取扱
いになりますが，消費税法では，その物品等の取得は，課税仕入れに該当
します。

④　**報償金，表彰金，賞金等**（基通11-2-2）

　　使用人等に支払った賞金等のうち次に掲げるものは，課税仕入れに該当
します。

(イ)　特許権・実用新案権等を承継したことにより支給するもの

(ロ)　特許権・実用新案権等の実施権の対価として支給するもの

(ハ)　通常職務範囲外での「事務や作業の合理化」・「製品の品質改良などの
工夫や考案等」をした使用人等に支給するもの

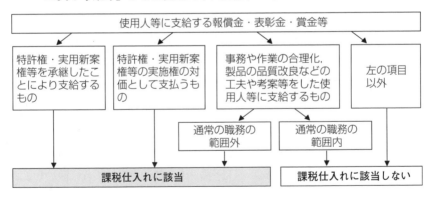

⑤　**外交員等の報酬**（基通11-2-3）

　　外交員等に支払う報酬等のうち，所得税法上の給与所得に該当する部分
については，課税仕入れに該当しません。

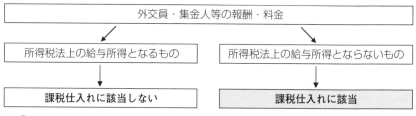

⑥ **会費，組合費等** (基通11-2-4)

　同業者団体や組合などに支払った通常会費や入会金がその団体の通常業務の運営費用に充てられるものである場合は，その通常会費や入会金などは課税仕入れに該当しません。

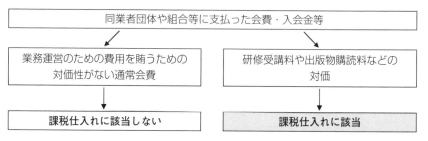

⑦ **ゴルフクラブ等の入会金** (基通11-2-5)

　ゴルフクラブ，スポーツクラブ，レジャー施設等の利用や会員割引などを目的とする入会金で脱退等に際し返還されないものは，課税仕入れに該当します。

⑧ **公共的施設の負担金等** (基通11-2-6)

　国や地方公共団体の有する公共的施設や同業者団体等の有する共同的施設の設置や改良のために負担金を支払った場合で，その国や地方公共団体，同業者団体等（以下「国や地方公共団体等」）が，資産の譲渡等の対価に該当しないと処理しているときは，その負担金は課税仕入れに該当しません。

　しかし，その負担金が専用側線利用権，電気ガス供給施設利用権等である場合には，課税仕入れに該当します。

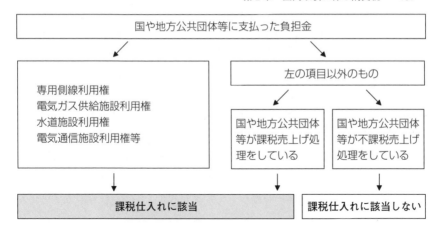

⑨　**共同行事等に係る負担金**（基通11－2－7）

　　同業者団体等の構成員が共同して行う宣伝，販売促進等（以下「共同行事等」）の費用に充てるため，同業者団体等が構成員から受け取った負担金等については，その費用の全額について構成員ごとの負担割合が定められており，かつ，その同業者団体等が，負担割合に応じてその共同行事等をその構成員が行ったものとして処理している場合は，それを支払う構成員は，その負担金等の使途ごとに課税仕入れに該当するか判断します。

(4)　課税仕入れ等の時期

① 　**原　　　則**（基通11－3－1，11－3－9）

　　課税仕入れ等（課税仕入れ，特定課税仕入れおよび保税地域からの引取りに係る課税貨物をいう。以下同様）の時期の原則は，国内において課税仕入れを行った日，国内において特定課税仕入れを行った日または，課税貨物を保税地域から引き取った日の属する課税期間です。

（注1）　課税仕入れを行った日とは
　　　① 　資産を譲り受けた日
　　　② 　資産を借り受けた日
　　　③ 　役務の提供を受けた日
（注2）　保税地域から課税貨物を引き取った日とは
　　　① 　一般申告：課税貨物を引き取った日

② 特例申告：特例申告書を提出した日

　　特例申告とは，税関長の承認を受けた輸入者が貨物を輸入する場合に，申告期限を「貨物を引き取った日の翌月末日」までとする制度です。なお，一般申告の期限は「貨物を引き取った日」です。

―＜注意点＞（基通11－3－2，11－3－3，11－3－4）―――――――――――――

① 資産等を割賦購入した場合には，資産等の引渡し等を受けた日が課税仕入れ等を行った日となります。

② 減価償却資産を取得した場合および繰延資産に係る支出をした場合には，減価償却資産の引渡しを受けた日または繰延資産に係る支出をした日が課税仕入れ等を行った日となります。

② 特　　例

(イ)　短期前払費用（基通11－3－8）

　前払費用は，原則「役務の提供を受けた日」の属する課税期間が課税仕入れ等の時期となります。しかし，1年以内に役務の提供を受ける短期前払費用につき，一定の要件を満たす場合には，所得税法および法人税法で，「支出した日」の属する年度において，費用計上することが認められています。

　そこで，消費税法においても所得税法または法人税法において，「支出した日」に費用計上が認められた短期前払費用については，「支出した日」の属する課税期間を課税仕入れ等の時期とすることを認めています。

(ロ)　郵便切手類・物品切手等（基通11－3－7）

　郵便切手類や鉄道・高速道路の回数券などの物品切手等は，原則として「役務の提供を受けた日」の属する課税期間が課税仕入れ等の時期となりますが，事業者自ら使用するものについては，継続適用することを要件として「対価を支払った日」の属する課税期間を課税仕入れ等の時期とすることを認めています。

原　則	役務の提供を受けた日の属する課税期間
特　例	対価を支払った日の属する課税期間

(5)　控除対象仕入税額の計算方法

①　概　　要

控除対象仕入税額は，「課税売上げに対応する課税仕入れ等の消費税額」をいいます。つまり，非課税売上げに対応する課税仕入れ等の消費税額は，控除対象仕入税額とはなりません。

控除対象仕入税額を求めるにあたっては，売上高を課税売上げと非課税売上げに区分し，売上高全体のうち課税売上げの占める割合（以下「課税売上割合」）を求めます。

②　課税売上割合（令48①）

課税売上割合とは，課税期間中に国内において行った「総売上高」のうち「課税売上高」の占める割合をいいます。

$$\frac{（税抜課税売上高＋輸出免税売上高）－返品や値引きの額…課税売上高（A）}{（A）＋（非課税売上高－返品や値引きの額）…総売上高}$$

（注1）　課税売上高は，税抜金額にします。
（注2）　返品や値引き（売上げに係る対価の返還等，第2章第9節参照）があった場合には，その金額の税抜金額を控除します。

③　課税売上割合を計算する際の注意点

(イ)　次のものは，分母・分子ともに算式に含めます。

(a)　役員への低額譲渡やみなし譲渡とされた対価の額

(b)　輸出免税等取引の譲渡対価の額

(ロ)　次のものは分母・分子ともに算式に含めません。

(a)　課税対象外の売上高（国外取引など）

(b)　貸倒れの回収額

(ハ)　売上げに係る対価の返還等は，分母・分子ともに控除しますが，貸倒

れとなった金額は，分母・分子ともに控除しません。

㈡　有価証券等取引がある場合

有価証券等の譲渡対価は，消費税の非課税売上げですので課税売上割合を計算する算式における分母の非課税売上げを構成しますが，その計上額については，次に掲げる金額になります。

有価証券等取引の取扱い一覧

有価証券等の種類	分母計上額
・合名会社等の持分譲渡 ・抵当証券の譲渡	譲渡対価
・預金・貸付金の譲渡 ・他人から購入した売掛金等の譲渡 　（資産の対価として取得したものを除く）	譲渡対価 ×５％
・株券，社債，受益証券等の譲渡（ゴルフ会員権を除く） ・登録国債等（国債等の現先取引を除く）の譲渡	
・国債，社債等の償還差損	△差損額
・国債，社債等の償還差益	＋差益額

④　控除対象仕入税額の計算方法

控除対象仕入税額は，課税売上割合に応じて，それぞれ次の方法により計算します。

㈀　その課税期間における課税売上高が年５億円以下の場合

ⓐ　課税売上割合が95％以上の場合

課税売上割合が95％以上である場合には，課税仕入れ等の税額の全額を控除します。

ⓑ　課税売上割合が95％未満の場合

課税売上割合が95％未満の場合には，個別対応方式と一括比例配分方式のいずれかの方法により計算します。

㈹　その課税期間における課税売上高が年5億円を超える場合

その課税期間における課税売上高が5億円を超える場合には，たとえ，課税売上割合が95％以上であっても，課税仕入れ等の税額の全額を控除することはできず，個別対応方式または一括比例配分方式のいずれかの方法により計算する必要があります。

つまり，その課税期間における課税売上高が5億円を超える場合には，課税売上割合が100％でない限りは，課税仕入れ等の税額の全額を控除することは認められません。

なお，課税売上高が5億円を超えるかどうかの判定は，基準期間における課税売上高によるのではなく，仕入税額控除額の計算対象となる課税期間における課税売上高により判定します。また，課税期間が1年に満たない場合には，1年間の課税売上高に換算した金額が5億円を超えるかどうかで判定します（法30②）。

仕入税額控除のまとめ

その課税期間の課税売上高 （1年間に換算）	その課税期間の 課税売上割合	仕入税額控除の計算方式
5億円超	95％以上	個別対応方式または 一括比例配分方式
	95％未満	
5億円以下	95％以上	全額控除
	95％未満	個別対応方式または 一括比例配分方式

㈧　個別対応方式

ⓐ　計算方法

個別対応方式とは，課税仕入れ等のすべてを「課税売上げにのみに対応するもの」「非課税売上げにのみ対応するもの」「課税売上げと非課税売上げに共通して対応するもの」に区分し，次の(i)の金額に(ii)の金額を加算して控除対象仕入税額を計算する方法です。

（i）　課税資産の譲渡等にのみ対応する課税仕入れ等の税額の合計額

(ⅱ)　課税資産の譲渡等と非課税資産の譲渡等に共通して対応する課税
仕入れ等の税額の合計額に課税売上割合を乗じて計算した金額

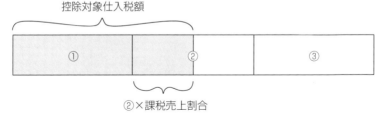

①　課税資産の譲渡等にのみ対応するもの
②　課税資産の譲渡等と非課税資産の譲渡等に共通して対応するもの
③　非課税資産の譲渡等にのみ対応するもの

ⓑ　**個別対応方式における留意点**

　個別対応方式は，その課税期間における個々の課税仕入れ等のすべて
について，①課税資産の譲渡等にのみ要するもの，②非課税資産の譲渡
等にのみ要するもの，③課税資産の譲渡等と非課税資産の譲渡等に共通
して要するもの（以下「共通対応分」）に区分が明らかにされている場合に
適用されます。

　したがって，例えば，課税仕入れ等の中から課税資産の譲渡等にのみ
要するものを抽出し，それ以外のものをすべて課税資産の譲渡等とその
他の資産の譲渡等に共通して要するものとして区分することは認められ
ません（基通11-2-18）。

①　課税資産の譲渡等にのみ要するもの（基通11-2-10）

　課税資産の譲渡等にのみ要するものとは，例えば，次に掲げる課税
仕入れ等が該当します。

・そのまま他に譲渡される課税資産
・課税資産の製造用にのみ消費し，または使用される原材料，容
　器，包紙，機械および装置，工具，器具，備品等
・課税資産に係る倉庫料，運送費，広告宣伝費，支払手数料または
　支払加工賃等

②　非課税資産の譲渡等にのみ要するもの（基通11－２－15）

非課税資産の譲渡等にのみ要するものとは，例えば，次に掲げる課税仕入れ等が該当します。

・販売用の土地の造成費用
・販売用の土地の取得に係る仲介手数料
・土地だけの譲渡に係る仲介手数料
・賃貸用住宅の建築費用
・住宅の賃貸に係る仲介手数料
・有価証券の売却時・購入時の売買手数料

③　共通対応分（基通11－２－16）

共通対応分とは，課税資産の譲渡等と非課税資産の譲渡等に共通して要するものをいい，例えば，課税資産の譲渡等と非課税資産の譲渡等がある場合において，それらに共通して使用される資産の取得に係る費用や消耗品費，電話料金等の課税仕入れ等が該当します。

㈡　一括比例配分方式

一括比例配分方式とは，課税仕入れ等の税額の合計額に課税売上割合を乗じて求める計算方法です。

なお，一括比例配分方式より計算した場合には，その方法を２年間継続して適用しなければいけません。

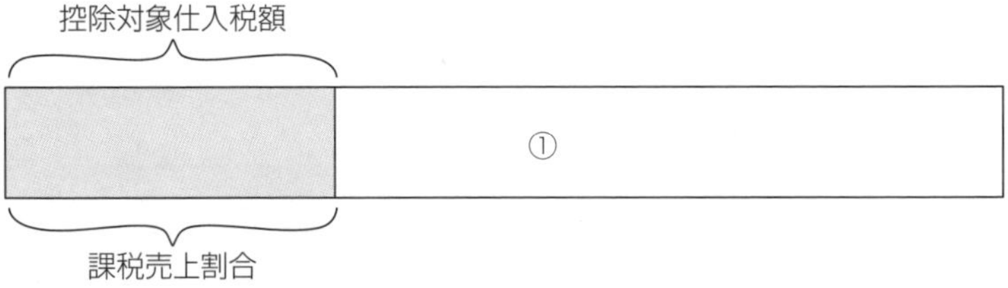

①　課税仕入れ等の税額の全額

⑤　課税売上割合に準ずる割合

㈠　内　　　容（法30③）

個別対応方式により控除対象仕入税額を計算する場合で，税務署長の承

認を受けたときには，「課税資産の譲渡等と非課税資産の譲渡等に共通して対応する課税仕入れ等の消費税額」に乗ずる割合について「課税売上割合」ではなく，「課税売上割合に準ずる割合」を使って計算することができます。

㈹ **課税売上割合に準ずる割合とは** (基通11－5－7，－8)

課税売上割合に準ずる割合とは，課税売上割合に代えて，課税資産の譲渡等と非課税資産の譲渡等に共通して対応する課税仕入れ等の消費税額について，より実態を反映した基準，例えば，従業員数や床面積などを用いて計算した割合をいいます。

例えば，従業員を基準とする場合には，課税売上げに係る業務に携わっている者と非課税売上げに係る業務に携わっている者との人数割合や従事日数割合などが考えられます。

なお，これらの割合は，①事業の種類の異なるごと，②事業に係る販売費，一般管理費その他の費用の種類の異なるごと，③事業に係る事業場の単位ごとに算出することができます。

適 用 範 囲		
① 事業の種類の異なるごと	② 事業に係る販売費，一般管理費その他の費用の種類の異なるごと	③ 事業に係る事業場の単位ごと

具体的な例示
・使用人の数の割合　　・使用面積割合 ・従事日数割合　　　　・取引件数割合 ・使用数量割合　　　　・その他合理的割合

(ハ)　適 用 時 期（法30③）

ⓐ　適用を受ける場合

　「消費税課税売上割合に準ずる割合の適用承認申請書」を税務署長に提出し，承認を受けた課税期間から課税売上割合に準ずる割合を使うことができます。

ⓑ　不適用にする場合

　「消費税課税売上割合に準ずる割合の不適用届出書」を税務署長に提出した課税期間から「課税売上割合に準ずる割合」は，使えなくなります。

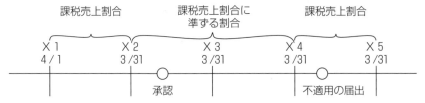

(注)　みなし承認（課税期間終了の時までに承認がなかった場合に，承認があったとみなす規定）はありません。

(6)　仕入税額控除の適用要件（法30⑦⑧⑨，令49，50）

①　原　　　則

　事業者が，正確な適用税率や消費税額等が記載された次に掲げる請求書等（インボイス）を保存する場合に限り，仕入税額控除が適用できます。

(a)　適格請求書または適格簡易請求書

(b)　適格請求書または適格簡易請求書の記載事項に係る電磁的記録

(c)　事業者が課税仕入れについて作成する仕入明細書，仕入計算書等の書類で，適格請求書の記載事項が記載されているもの（適格請求書発行事業者の確認を受けたものに限る）

(d)　媒介または取次ぎに係る業務を行う者（卸売市場，農業協同組合，漁業協同組合，森林組合等）が，委託を受けて行う農林水産物の譲渡等について作成する一定の書類（電磁的記録を含む）

　なおインボイスを交付できるのは，適格請求書発行事業者として納税地

の所轄税務署長の登録を受けた事業者に限ります（第2章第2節3参照）。

○保存書類の記載事項一覧

㈲ 帳　簿

課税仕入れ・特定課税仕入れ	課税貨物の引取り
(i)　相手方の氏名または名称 (ii)　取引を行った年月日 (iii)　資産もしくは役務または特定課税仕入れの内容（軽減税率対象品目に係るものである場合には，軽減対象資産の譲渡等に係るものである旨） (iv)　支払額 (v)　特定課税仕入れの場合はその旨	(i)　引き取った年月日 (ii)　貨物の内容 (iii)　貨物に係る消費税および地方消費税の額

㈹ 請求書等

課税仕入れ		課税貨物の引取り
交付を受けた請求書や納品書など	作成した仕入明細書・仕入れ計算書など	(i)　保税地域の所在地の所轄税関長
(i)　作成者の氏名または名称および登録番号 (ii)　課税資産の譲渡等を行った年月日 (iii)　資産または役務の内容（軽減税率対象品目に係るものである場合には，資産の内容および軽減対象資産の譲渡等に係る	(i)　作成者の氏名または名称 (ii)　仕入れの相手方の氏名または名称および登録番号 (iii)　課税仕入れを行った年月日 (iv)　資産または役務の内容（軽減税率対象品目に係るものである場合には，資産の	(ii)　輸入の許可を受けた年月日（特例申請書を提出した場合には，一定の年月日） (iii)　貨物の内容 (iv)　貨物の消費税の課税標準額，消費税額および地方消費税額 (v)　書類の交付を受ける者の氏名または名称

ものである旨）	内容および軽減対象
(iv) 税率ごとに区分した課税資産の譲渡等の税抜価額または税込価額の合計額および適用税率 (注)	資産の譲渡等に係るものである旨）
(v) 税率ごとに区分した消費税額等 (注)	(v) 税率ごとに区分した課税資産の譲渡等の税抜価額または税込価額の合計額および適用税率
(vi) 書類の交付を受ける者の氏名または名称 (注)	(vi) 税率ごとに区分した消費税額等

(注) 小売業など不特定かつ多数の者に課税資産の譲渡等を行う一定の事業の場合には，適格請求書発行事業者は適格簡易請求書（簡易インボイス）を交付することができます。簡易インボイスは「適用税率」と「税率ごとに区分した消費税額等」のいずれか一方の記載とすることができ，「書類の交付を受ける者の氏名または名称」は記載を省略することができます。

② 例　　外

　下記に該当する場合には，帳簿の保存のみで仕入税額控除が認められます。

(イ) 帳簿の保存のみにより仕入税額控除が認められる場合（令49①，70の9 ②一，規15の4，26の2）

　次に該当する場合には，帳簿のみの保存により仕入税額控除が認められます。

【帳簿のみの保存により仕入税額控除が認められるもの】

(i) 適格請求書の交付義務が免除される3万円未満の公共交通機関による旅客の運送

(ii) 適格簡易請求書の要件を満たす入場券等が使用の際に回収される取引

(iii) 古物営業を営む者の，適格請求書発行事業者でない者からの古物の購入

(ⅳ) 質屋を営む者の，適格請求書発行事業者でない者からの質物の取得

(ⅴ) 宅地建物取引業を営む者の，適格請求書発行事業者でない者からの
建物の購入

(ⅵ) 適格請求書発行事業者でない者からの再生資源および再生部品の購
入

(ⅶ) 適格請求書の交付義務が免除される３万円未満の自動販売機および
自動サービス機からの商品の購入等

(ⅷ) 適格請求書の交付義務が免除される郵便切手類のみを対価とする郵
便・貨物サービス（郵便ポストを利用した場合に限る）

(ⅸ) 従業員等に支給する通常必要と認められる出張旅費等（出張旅費，
宿泊費，日当および通勤手当）

㈡ **中小事業者の少額取引にかかる事務負担の軽減措置**（令和５年10月１日
から令和11年９月30日まで）

基準期間における課税売上高（第２章第２節２．(3)参照）が１億円以下
または特定期間（第２章第２節５．(2) 参照）における課税売上高^(注)が５
千万円以下である事業者が，令和５年10月１日から令和11年９月30日ま
での間に国内において行う課税仕入れについて，その課税仕入れに係る
支払対価の額（税込み）が１万円未満である場合には，一定の事項が記
載された帳簿のみの保存により，当該課税仕入れについて仕入税額控除
の適用を受けることができる経過措置（少額特例）が設けられています。

なお，課税仕入れに係る支払対価の額が１万円未満に該当するかどう
かは，一回の取引の課税仕入れに係る金額（税込み）により判定します
（課税仕入れに係る一商品ごとの金額や，月まとめ請求書のように複数の取引を
まとめた単位での判定は行いません）。

(注) 特定期間における課税売上高については，納税義務の判定における場合と
異なり，課税売上高に代えて給与支払額の合計額によることはできません。

また，次の場合においても，この経過措置の適用を受けることができ
ます。

（i）　新たに設立した法人の基準期間のない課税期間において，特定期間の課税売上高が5千万円超となった場合

（ii）　適格請求書発行事業者以外の者からの課税仕入れ（本来インボイスの交付を受けられない取引）で，課税仕入れに係る支払対価の額（税込み）が1万円未満である場合

③保存期間

帳簿を閉鎖した日および請求書等を受領した日の属する課税期間の末日の翌日から2か月を経過した日から7年間です。

なお，5年を超えた場合には，帳簿または請求書のどちらか一方の保存でかまいません。

④適格請求書発行事業者でない者からの仕入れに係る経過措置

適格請求書等保存方式の導入により，適格請求書発行事業者以外の者（消費者，免税事業者または登録を受けていない課税事業者）からの課税仕入れについては，仕入税額控除の適用を受けるために保存が必要な適格請求書等（インボイス）の交付を受けることができないことから，仕入税額控除を行うことができなくなりました。

ただし，インボイス制度開始後一定期間は，適格請求書発行事業者以外の者からの課税仕入れであっても，仕入税額相当額の一定割合を仕入税額とみなして控除できる経過措置が設けられています。

経過措置を適用できる期間・控除割合は，下記のとおりです。

期間	割合
令和5年10月1日から令和8年9月30日まで	仕入税額相当額の80%
令和8年10月1日から令和11年9月30日まで	仕入税額相当額の50%

なお，令和6年10月1日以後に開始する課税期間において，一の適格請求書発行事業者以外の者から行う課税仕入れの合計額（税込金額）がその年または事業年度で10億円を超える場合には，その超える部分の金額については，当該経過措置の適用を受けられません。

また，この経過措置の適用を受けるためには，次の事項が記載された帳簿および請求書等の保存が要件となります。

(イ)　帳　　　簿

インボイス制度導入前（令和元年10月1日から令和5年9月30日まで）は，仕入税額控除の適用を受けるために，一定の内容を記載した帳簿および請求書等を保存することが要件とされていました（区分記載請求書等保存方式）。

この経過措置の適用を受けるためには，従来の区分記載請求書等保存方式の記載事項に加え，「80％控除対象」「免税事業者からの仕入れ」など，経過措置の適用を受ける課税仕入れである旨の記載が必要となります。

具体的には，下記の事項を記載する必要があります。

ⓐ　課税仕入れの相手方の氏名または名称

ⓑ　課税仕入れを行った年月日

ⓒ　課税仕入れに係る資産または役務の内容（軽減対象資産の譲渡等に係るものである場合には，その旨）および経過措置の適用を受ける課税仕入れである旨

ⓓ　課税仕入れに係る支払対価の額

(ロ)　請　求　書　等

区分記載請求書等と同様の記載事項が必要となります（区分記載請求書等に記載すべき事項に係る電磁的記録を含む）。

具体的には，下記の事項を記載する必要があります。

ⓐ　書類の作成者の氏名または名称

ⓑ　課税資産の譲渡等を行った年月日

ⓒ　課税資産の譲渡等に係る資産または役務の内容（軽減対象資産の譲渡等に係るものである場合には，その旨）

ⓓ　税率ごとに合計した課税資産の譲渡等の税込価額

ⓔ　書類の交付を受ける当該事業者の氏名または名称

(7)　居住用建物の仕入税額控除の不適用

　令和2年10月1日以後に居住用賃貸建物^(注)の仕入れを行う場合には，建物の課税仕入れについて，仕入税額控除の適用が認められません。

　ただし，建物のうち，住宅として貸し付けないことが明らかな部分については，控除の対象とすることができます。

> **(注)**　居住用賃貸建物とは，住宅用として貸し付けないことが明らかな建物以外の建物で，高額特定資産（1回の取引の課税仕入れに係る支払対価の額が1,000万円以上の棚卸資産または調整対象固定資産）に該当するものをいいます。

(8)　特定課税仕入れに係る経過措置

　事業者が国内で特定課税仕入れを行った場合においても，その課税期間の課税売上割合が95％以上である場合および簡易課税制度が適用される課税期間である場合には，当面の間，その特定課税仕入れはなかったものとみなされます。したがって，特定課税仕入れに係る納税義務は生じないとともに，特定課税仕入れに係る仕入税額控除も行うことはできません。

(9)　登録国外事業者制度

　電気通信利用役務の提供（インターネット等を介して行われる電子書籍，音楽広告の配信等）については，その役務の提供を受ける者の住所地等が国内にあるかどうかで，消費税の課税対象となる国内取引に該当するかどうかの判定が行われます（第2章第1節1.(1)①国内で行うもの参照）。したがって，国外の事業者が国内に住所地等のある者に対して電子書籍の配信等を行う場合には，課税対象取引となります。

　電気通信利用役務の提供が，「事業者向け電気通信利用役務の提供」である場合には，原則として，特定課税仕入れに係る納税義務が生じ，当該仕入れについては仕入税額控除の対象となります（リバースチャージ方式）。これに対し，「事業者向け電気通信利用役務の提供」に該当しない電気通信利用役務の提供の場合には，通常の課税資産の譲渡等となるため，仕入側が事業者である場合には通常の課税仕入れとして仕入税額控除を行うこととなります。ただし，改正に伴う経過措置の取扱いにより，仕入税額控除が認められるのは，電

116

気通信利用役務の提供者である国外事業者が登録国外事業者である場合に限られます。登録国外事業者とは、電気通信利用役務の提供を行い、または行おうとする場合において、納税地の所轄税務署長を経由して国税庁長官に申請をし、国税庁長官の登録を受けた国外事業者をいいます。登録国外事業者に該当しない国外事業者から受ける電気通信利用役務の提供（事業者向け電気通信利用役務の提供を除く）については仕入税額控除の対象となりません。なお、登録者名については、国税庁のホームページに公表されます。

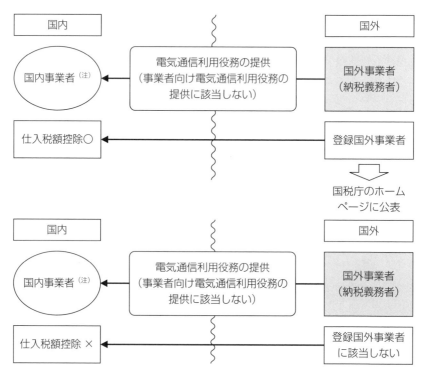

(注) 「事業者向け電気通信利用役務の提供」に該当しない場合においても、役務の提供を受ける者が国内事業者であることは想定されます。

⑽　密輸品の仕入税額控除の不適用

事業者が課税仕入れをした資産について、当該資産が納付すべき消費税を納

付せずに保税地域から引き取られた課税貨物（密輸品）であり，かつ，当該事業者がその事実を知っていた場合には，当該課税仕入れに係る消費税については仕入税額控除の適用が認められません。

(11)　免税購入品の仕入税額控除の不適用

　事業者が課税仕入れをした資産について，当該資産が輸出物品販売場（免税店）で消費税が免除された物品（免税購入品）であり，かつ，当該事業者がその事実を知っていた場合には，当該課税仕入れに係る消費税については仕入税額控除の適用が認められません。

2．仕入れに係る対価の返還等を受けた場合の仕入税額控除額の調整（法32）

(1)　概　　要

　「仕入れに係る対価の返還等」とは，課税仕入れまたは特定課税仕入れについて，返品や値引きなどがあり，支払対価や買掛金等の全部もしくは一部の返還や減額等を受けることをいいます。その場合，仕入れたときに控除対象仕入税額の計算の基礎とした消費税額について，返還を受けたときに何の調整も行わないと控除対象額が過大となってしまうため，「仕入れに係る対価の返還等」を受けた課税期間において，一定の調整をします。

(注)　対価の返還等の範囲
　　① 　対象となるもの
　　　(イ)　商品の返品
　　　(ロ)　商品等の値引き
　　　(ハ)　金銭で支払いを受ける販売奨励金（基通12－1－2）
　　　(ニ)　加入している協同組合等から支払いを受ける事業分量分配金（基通12－1－3）
　　　(ホ)　仕入割引（基通12－1－4）
　　② 　対象とならないもの
　　　(イ)　債務免除（基通12－1－7）
　　　(ロ)　課税貨物の購入先から仕入割戻しを受けた場合（引取りのときに支払った消費税が税関から還付されないので対象とならない）（基通12－1－5）

(2)　その課税期間における課税売上高が年5億円以下の場合の計算

　　① 　課税売上割合が95％以上の場合

次の算式により計算した金額が控除対象仕入税額となります。

課税仕入れ等に係る消費税の合計額 － 仕入れに係る対価の返還等を受けた金額に係る消費税の合計額

② **課税売上割合が95%未満の場合**

㈠ **個別対応方式**

次の(a)の金額に(b)の金額を加算した金額が控除対象仕入税額となります。

(a) 課税売上げのみに対応する課税仕入れ等に係る消費税の合計額 － 課税売上げのみに対応する仕入れに係る対価の返還等を受けた金額に係る消費税の合計額

(b) 課税売上げと非課税売上げに共通する課税仕入れ等に係る消費税額×課税売上割合 － 課税売上げと非課税売上げに共通する仕入れに係る対価の返還等に係る消費税額×課税売上割合

㈡ **一括比例配分方式により計算する場合**

次の算式により計算した金額が控除対象仕入税額となります。

課税仕入れ等に係る消費税の合計額×課税売上割合 － 仕入れに係る対価の返還等を受けた金額に係る消費税の合計額×課税売上割合

⑶ **その課税期間における課税売上高が年5億円を超える場合の計算**

その課税期間における課税売上高が年換算で5億円を超える場合には，課税売上割合にかかわらず，上記(2)②と同じ取扱いになります。

3．課税売上割合が著しく変動した場合の調整 (法33)

⑴ **内　　　容**

課税売上割合が著しく変動した場合には，課税売上割合を計算要素とする仕入税額控除額も著しく変動します。

そのため，課税売上割合が著しく変動した課税期間中に取得した固定資産に係る消費税については，一定の調整計算を行います。

(2)　調整する理由

　例えば，土地等を売却した場合には，多額の非課税売上げが計上されるため，その課税期間における課税売上割合が通常の課税売上割合に比べて低くなる場合があります。このような課税期間において長期間使用される固定資産を購入した場合には，通常よりも低い課税売上割合で仕入税額控除が計算されてしまうため一定の調整を行います。

(3)　調整の対象となるもの（調整対象固定資産）

　調整の対象となる固定資産は，次に掲げるすべての要件を満たすものをいいます。

①　100万円（税抜価格）以上の固定資産

②　①の固定資産を第 3 年度の課税期間[注]の末日に保有している

③　購入した課税期間について，その固定資産に係る消費税を

　㋑　一括比例配分方式により計算

　または

　㋺　個別対応方式により共通用として計算

　もしくは

　㋩　全額控除により計算

④　棚卸資産や経費になるものは含まれない

　(注)　第 3 年度の課税期間とは，固定資産を購入した課税期間の開始の日から 3 年を経過する日の属する課税期間をいう。

(4)　著しく変動した場合とは

$$\left\{\frac{\text{「過去 3 年間の課税売上割合を通算した割合」}^{[注]}\text{と}\text{「購入した課税期間の課税売上割合」の「差」}}{\text{購入した課税期間における課税売上割合}}\right\}$$

≧50%……変動率が50%以上

かつ

$$\left\{\text{「過去 3 年間の課税売上割合を通算した割合」と「購入した課税期間の課税売上割合」の「差」}\right\}$$

≧5％……変動差が5％以上

(注)　「過去3年間の課税売上割合を通算した割合」とは，過去3年間の総売上高の合計額に対する過去3年間の課税売上高の合計の占める割合をいいます。

⑸　調整する税額

調整の要否の判定フローチャート

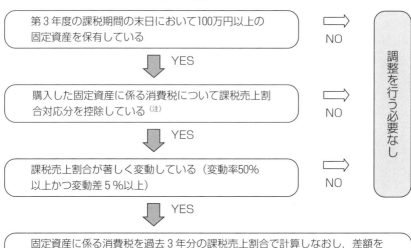

第3年度の課税期間の末日において100万円以上の固定資産を保有している	⇒ NO

YES ↓

購入した固定資産に係る消費税について課税売上割合対応分を控除している (注)	⇒ NO

YES ↓

課税売上割合が著しく変動している（変動率50％以上かつ変動差5％以上）	⇒ NO

YES ↓

固定資産に係る消費税を過去3年分の課税売上割合で計算しなおし，差額を当課税期間の仕入れに係る消費税に加算（または控除）

→ 調整を行う必要なし

(注)　その固定資産について，一括比例配分方式または個別対応方式の共通対応もしくは全額控除として計算していることをいいます。

①　課税売上割合が著しく減少した場合

　(イ)と(ロ)の差額を仕入れに係る消費税から控除します。

(イ)　調整対象固定資産に係る消費税　×　仕入れ等の課税期間の課税売上割合

(ロ)　調整対象固定資産に係る消費税　×　過去3年間の課税売上割合を通算した割合

②　課税売上割合が著しく増加した場合

　(イ)と(ロ)の差額を仕入れに係る消費税に加算します。

(イ)　調整対象固定資産に係る消費税　×　過去3年間の課税売上割合を通算した割合

(ロ)　調整対象固定資産に係る消費税　×　仕入れ等の課税期間の課税売上割合

＜通算課税売上割合の具体例＞

Ⅰ期において調整対象固定資産を購入し，一括比例配分方式で控除対象仕入税額の計算が行われている場合

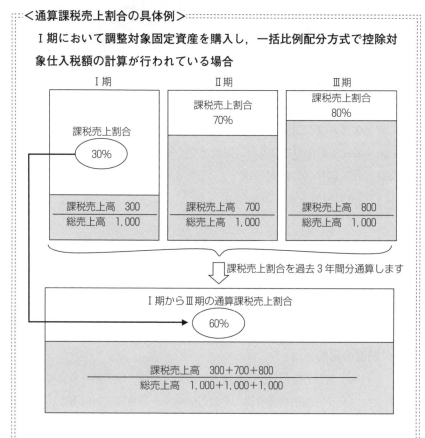

Ⅰ期において30%で計算した固定資産に係る消費税をⅢ期において60%で計算しなおし，その差額をⅢ期の仕入れに係る消費税に加算します。

(6) 調整対象固定資産を取得した場合の事業者免税点制度・簡易課税制度の不適用 (法9⑦, 37③)

① 内　　容

　　次に掲げる場合には，調整対象固定資産を購入した日の属する課税期間の初日から3年を経過する日の属する課税期間の初日以後でなければ，課税事業者選択不適用届出書および簡易課税選択届出書を提出することはできません。すなわち，調整対象固定資産を購入した日の属する課税期間の初日から3年を経過する日の属する課税期間までの間は免税事業者になることはできませんし，簡易課税を選択することはできません。

(イ)　課税事業者選択届出書を提出した事業者のうち課税事業者となった日の属する課税期間の初日から同日後2年を経過する日までの間に開始した各課税期間中（簡易課税制度または2割特例の適用を受ける課税期間を除く）に調整対象固定資産を購入した場合

(ロ)　基準期間がない法人（社会福祉法人等一定の法人を除く）で資本金の額または出資金の額が1,000万円以上であるものがその基準期間がない課税期間中（簡易課税制度または2割特例の適用を受ける課税期間を除く）に調整対象固定資産を購入した場合

---

② 制度の目的

　　これは，調整対象固定資産を購入した課税期間中に多額の消費税の還付を受けた後に，課税事業者選択不適用届出書や簡易課税制度選択届出書を提出し，本来であれば課税売上割合が著しく変動した場合の調整対象固定資産に係る消費税の調整が行われるべき課税期間において免税事業者になり，または，簡易課税制度の適用を受けることで，その調整計算を逃れることを防止するために設けられた措置です。

【課税事業者の選択が 2 年で終了する場合】

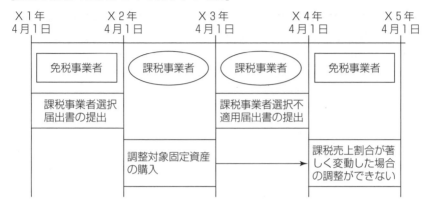

【課税事業者である期間を延長し調整計算を行う場合】

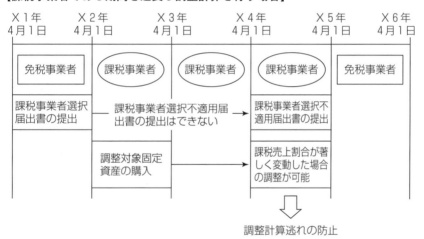

⑺　高額特定資産を取得した場合等の事業者免税点制度・簡易課税制度の不適用（法12の 4 ①）

①　内　　　容

　　課税事業者が，簡易課税制度または 2 割特例の適用を受けない課税期間中に，高額特定資産^(注)を取得した場合には，高額特定資産を取得した日の属する課税期間の翌課税期間からその取得をした日の属する課税期間の

初日から３年を経過する日の属する課税期間までの各課税期間において
は，事業者免税点制度および簡易課税制度を適用することはできません。

(注) 　高額特定資産とは，一の取引単位につき，支払対価の額が税抜1,000万円以
上の棚卸資産または調整対象固定資産をいいます。高額特定資産に該当する課
税貨物を保税地域から引き取った場合も含まれます。

【高額特定資産の購入の場合】

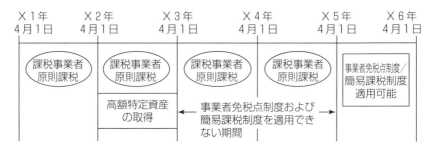

　また，課税事業者が，簡易課税制度の適用を受けない課税期間中に，自
己建設高額特定資産 (注) の建設等を行った場合には，建設等に要した費用
の累計額が1,000万円以上となった日の属する課税期間の翌課税期間から
その建設等が完了した日の属する課税期間の初日以後３年を経過する日の
属する課税期間までの各課税期間においては，事業者免税点制度および簡
易課税制度を適用することはできません。

(注) 　自己建設高額特定資産とは，他の者との契約に基づき，またはその事業者の
棚卸資産もしくは調整対象固定資産として自ら建設等をした高額特定資産をい
います。

【自己建設高額特定資産の場合】

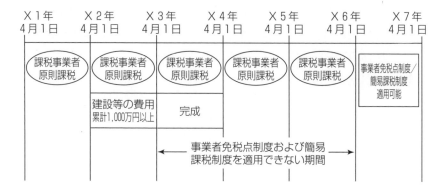

②　制度の目的

　　この制度は，次の(イ)，(ロ)の目的で平成28年度税制改正により設けられた制度です。

(イ)　高額の不動産等を棚卸資産として取得した課税期間に還付を受けた後，当該不動産等の賃貸・売却等により課税売上高が計上される課税期間に事業者免税点制度や簡易課税制度を適用することにより消費税の納税を免れる取引を制限するため

(ロ)　前述(6)の適用対象とはならない次のような取引のうち一定のものを制限するため

　　・課税事業者を選択せずに課税事業者となり調整対象固定資産を取得する場合

　　・課税事業者選択届出書提出後2年を経過してから調整対象固定資産を取得する場合

(8)　**高額特定資産である棚卸資産について消費税額の調整措置を受けた場合の事業者免税点制度・簡易課税制度の不適用**　(法12の4②)

①　内　　　容

　　事業者が，免税事業者である課税期間中に取得した高額特定資産（第2章第7節2.(7)参照）である棚卸資産について，免税事業者が課税事業者と

なる場合等の棚卸資産に係る消費税額の調整措置（第2章第7節6.参照）の適用を受けた場合には，その調整措置を受けた課税期間の初日以後3年を経過する日の属する課税期間までの各課税期間においては事業者免税点制度および簡易課税制度を適用することはできません。

【高額特定資産の購入の場合】

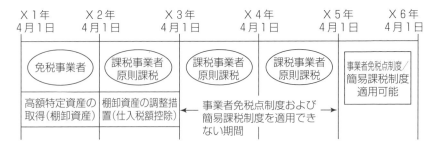

また，事業者が，免税事業者である課税期間中に建設等を行った自己建設高額特定資産（第2章第7節2.(7)参照）である棚卸資産について，免税事業者が課税事業者となる場合等の棚卸資産に係る消費税額の調整措置（第2章第7節6.参照）の適用を受けた場合には，その調整措置を受けた課税期間^(注)の初日以後3年を経過する日の属する課税期間までの各課税期間においては事業者免税点制度および簡易課税制度を適用することはできません。

(注) 棚卸資産に係る消費税額の調整措置の適用を受けることとなった日の前日までに建設等が完了していない場合には建設等が完了した日の属する課税期間

【自己建設高額特定資産の場合】

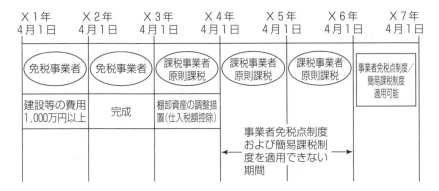

②　制度の目的

　　従前の高額特定資産を取得した場合等の事業者免税点制度・簡易課税制度の不適用（第2章第7節2.(7)参照）では，免税事業者である期間中に高額特定資産である棚卸資産を取得し，課税事業者となった課税期間に棚卸資産に係る消費税の調整措置により仕入税額控除の適用を受ける場合が対象となっていませんでした。そのため，棚卸資産に係る消費税の調整措置により仕入税額控除の適用を受け，その後免税事業者となった課税期間にその高額特定資産を売却することで，仕入税額控除の適用を受けるにもかかわらず，対応する売上げに係る消費税の納付が行われない問題が生じておりました。この制度はこのような制度上の欠陥を是正するために令和2年度税制改正において設けられました。

4．課税業務用から非課税業務用に転用した場合等の調整 (法34，35)

(1)　内　　　容

　　課税業務用にのみ要するものとして計算した調整対象固定資産(注)を非課税業務用に転用した場合には，その調整対象固定資産に係る消費税を調整します。

　　また，非課税業務用の調整対象固定資産(注)を課税業務用に転用した場合も

調整を行います。

> **(注)** 調整対象固定資産とは税抜100万円以上の固定資産をいいます。

(2) 調整する理由

例えば，賃貸事務所用として購入した建物をすぐに居住用賃貸マンションに転用した場合，購入した課税期間のみで課税関係が完結してしまうと，ほとんどの期間を居住用賃貸マンションとして使用しているにもかかわらず，全額課税仕入れが認められてしまい不合理です。そこで，固定資産の購入後３年以内に転用した場合には仕入れに係る消費税の調整を行います。

(3) 調整が不要な転用のケース

次のそれぞれの場合の転用については，調整計算は不要です。

① 課税業務用または非課税業務用⇒課税・非課税共通用

② 課税・非課税共通用⇒課税業務用または非課税業務用

(4) 調整する税額

調整対象固定資産の転用が調整対象固定資産の取得の日から３年以内のどの時点で行われたかにより，それぞれの調整計算が行われます。

調整する税額

	課税業務用⇒非課税業務用	非課税業務用⇒課税業務用
①取得の日から1年を経過する日まで	転用した調整対象固定資産に係る消費税を転用した課税期間の仕入れに係る消費税から全額控除	転用した調整対象固定資産に係る消費税を転用した課税期間の仕入れに係る消費税に全額加算
②①の末日の翌日から1年を経過する日まで	転用した調整対象固定資産に係る消費税のうち3分の2を転用した課税期間の仕入れに係る消費税から控除	転用した調整対象固定資産に係る消費税のうち3分の2を転用した課税期間の仕入れに係る消費税に加算
③②の末日の翌日から1年を経過する日まで	転用した調整対象固定資産に係る消費税のうち3分の1を転用した課税期間の仕入れに係る消費税から控除	転用した調整対象固定資産に係る消費税のうち3分の1を転用した課税期間の仕入れに係る消費税に加算
④③の末日の翌日以降	調整不要	

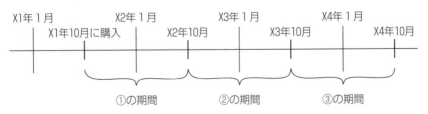

5．居住用賃貸建物を課税賃貸用に供した場合等の仕入れに係る消費税額の調整 （法35の2）

(1) 内　　容

　令和2年10月1日以降に居住用賃貸建物の仕入れを行った場合には，建物の課税仕入れについて，仕入税額控除の適用が制限される（第2章第7節1．(7)参照）ことに伴い，居住用賃貸建物の仕入れ後，調整期間 (注1) 内に住宅以外の貸付けや譲渡をした場合には，貸付けや譲渡の対価の額を基礎として計算した額を，3年を経過する日の属する課税期間または譲渡をした日の属する課税期間の仕入税額控除に加算するという調整計算が必要となります。

　(注1) 　調整期間とは，仕入れの日から同日の属する課税期間の初日以後3年を経過する日の属する課税期間の末日までをいいます。

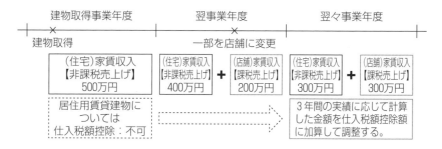

(2) 調整する金額

① 住宅以外の貸付けに使用した場合

　　第3年度の課税期間 (注2) の末日に，その居住用賃貸建物を有しており，かつ，その居住用賃貸建物の全部または一部を調整期間 (注1) 中に住宅以外の貸付けに使用した場合には，次の算式で計算した消費税額を，第3年度の課税期間 (注2) の仕入控除税額に加算します。

　(注2) 　第3年度の課税期間とは，仕入れの日の属する課税期間の初日以後3年を経過する日の属する課税期間をいいます。

$$加算する消費税額 = \begin{array}{c}居住用賃貸建物の\\課税仕入れ等に係る\\消費税額\end{array} \times \frac{(A)のうち住宅以外に使用したものに係る金額}{\begin{array}{c}調整期間に行った居住用賃貸建物\\の貸付けの対価の額の合計額(A)\end{array}}$$

②　譲渡した場合

調整期間 ^(注1) 中に，その居住用賃貸建物の全部または一部を譲渡した場合には，次の算式で計算した消費税額を，譲渡した日の属する課税期間の仕入れ控除税額に加算します。

$$加算する消費税額 = \begin{array}{c}居住用賃貸建物の\\課税仕入れ等に\\係る消費税額\end{array} \times \frac{\begin{array}{c}(B)のうち住宅以外に\\使用したものに係る金額\end{array} + (C)の金額}{\begin{array}{c}仕入れの日から譲\\渡の日までの間に\\行った居住用賃貸\\建物の貸付けの対\\価の額(B)\end{array} + \begin{array}{c}居住用賃貸建物の\\譲渡の対価の額\\(C)\end{array}}$$

6．免税事業者が課税事業者となる場合等の棚卸資産に係る消費税額の調整 (法36)

(1)　内　　　容

免税事業者が新たに課税事業者となる場合または，課税事業者が免税事業者となる場合には，課税事業者または免税事業者となる期間の初日の前日に残っている棚卸資産に係る消費税について次に掲げる方法により調整をします。

免税事業者⇒課税事業者	課税事業者⇒免税事業者
免税事業者であった期間中に仕入れた期末保有の棚卸資産に係る消費税を課税事業者となった期間で控除する	課税事業者であった期間中に仕入れた期末保有の棚卸資産に係る消費税は仕入税額控除できない

⑵　調整をする理由

　免税事業者であった期間中に仕入れた棚卸資産でも課税事業者になった期間に販売すれば売上げに係る消費税がかかります。しかし，免税事業者であった期間中は，仕入業者には税込価格で代金を支払っているにもかかわらず仕入税額控除を行っていません。そこで，売上げに係る消費税と仕入れに係る消費税の対応を図るため調整を行います。

　反対に課税事業者が免税事業者になる場合にも調整を行います。

⑶　棚卸資産とは

①　商品または製品

②　半　製　品

③　仕　掛　品

④　原　材　料

⑤　消耗品で貯蔵中のもの

⑥　上記の資産を原材料として製作されまたは建設された棚卸資産

⑦　その他上記に準ずる資産

＜具体例＞

① **免税事業者⇒課税事業者**

Ⅰ期……免税事業者　　　　Ⅱ期……課税事業者

（A商品を110円で仕入れ）⇒（A商品を220円で販売）

　Ⅰ期で仕入れた際に負担したA商品に係る消費税をⅡ期において控除し，A商品の売上げに係る消費税と仕入れに係る消費税を対応させます。

② **課税事業者⇒免税事業者**

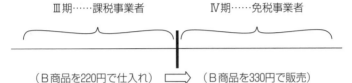

Ⅲ期……課税事業者　　　　Ⅳ期……免税事業者

（B商品を220円で仕入れ）⇒（B商品を330円で販売）

　Ⅲ期で仕入れた際に負担したB商品に係る消費税を控除しないことにより免税事業者であるⅣ期で販売したB商品と対応させます。

第8節　簡易課税制度およびインボイス制度開始後の小規模事業者に係る特例 （2割特例）（法37）

1．簡易課税制度の概要

⑴　簡易課税制度とは

　　簡易課税制度とは，基準期間の課税売上高が一定額以下である中小企業者が消費税等を計算する際の事務負担等を考慮して設けられた制度で，その課税期間の売上げに係る消費税額に一定の仕入率（みなし仕入率）を乗じて，仕入税額控除額を計算する制度をいいます。

　　原則計算では，売上げに係る消費税から仕入れに際して支払った消費税を控除する形式で計算されますが，簡易課税制度の適用を受ける場合には，仕入れに際して支払った消費税にかかわらず，売上げに係る消費税に基づいて控除する消費税を計算することができます。

⑵　簡易課税制度の考え方

　　仕入業者等に支払った消費税にかかわらず，消費者から預かった消費税（すなわち売上げに係る消費税）に基づいて，納付すべき消費税額を計算します。

＜簡易課税制度の考え方＞

　　小売業を営んでいる課税事業者が，仕入業者から商品を1,870円（うち消費税170円）で仕入れ，その商品を消費者に2,200円（うち消費税200円）で販売した場合

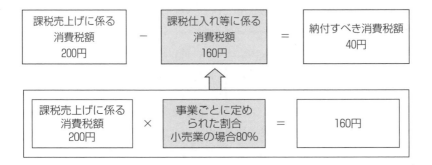

(3)　簡易課税を選択した場合のメリット・デメリット

①　メリット

　　簡易課税制度を選択した場合には，控除する消費税をみなし仕入率で計算しますので，課税仕入れの集計などが不要となり，事務負担が大幅に軽減されます。

②　デメリット

　　設備投資を行うなどして，課税仕入れが多額になり，原則計算で計算した場合には，消費税等の還付が受けられる場合であっても，簡易課税制度を選択しているときには，消費税等の還付を受けることができません。

(4)　特定課税仕入れの取扱いについて

　　簡易課税制度を適用している場合においても，特定課税仕入れ（第 2 章第 2 節 1．納税義務者参照）に係る消費税についてはその実額を売上げに係る消費税から控除することになります。ただし，改正に伴う経過措置の取扱いにより当面の間簡易課税制度が適用される課税期間においては，特定課税仕入れはなかったものとみなされます。つまり，特定課税仕入れに係る消費税の納税義務は生じず，また，これに係る仕入税額控除も行うことはできません。

2．簡易課税制度の対象となる事業者 (法37①)

(1)　概　　　要

　　簡易課税制度の対象となる事業者は，以下の 2 つの要件を満たしている事業

者（令和 6 年10月 1 日以後は，課税期間の初日において恒久的施設^(注1)を有しない国外事業者^(注2)を除く）です。

   ① 基準期間の課税売上高（税抜価格）が5,000万円以下であること

   ② 「消費税簡易課税制度選択届出書」を提出していること

（注1） 非居住者または海外法人の国内にある支店等（所法 2 ①八の四または法法 2 十二の十九）

（注2） 非居住者である個人事業者および外国法人

  簡易課税制度の適用を受けるためには，次の図に示すように基準期間（Ｘ 1 年）における課税売上高が5,000万円以下であり，適用を受けようとする課税期間の前課税期間（Ｘ 2 年）中に消費税簡易課税制度選択届出書を提出しなければなりません。

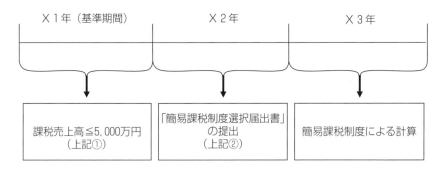

⑵ 原則計算との関係

  上記の 2 つの要件を満たしている事業者は，簡易課税制度を適用して控除対象仕入税額を計算しなければなりません。すなわち，原則計算との有利選択は認められません。

  なお，「消費税簡易課税制度選択届出書」を提出しているとしても，基準期間の課税売上高が5,000万円を超える課税期間については，原則計算となります。

  具体的には次の図の場合，Ｘ 4 年については，基準期間（Ｘ 2 年）の課税売上高が5,000万円を超えるため，簡易課税制度の適用を受けることはできず，原則課税となります。

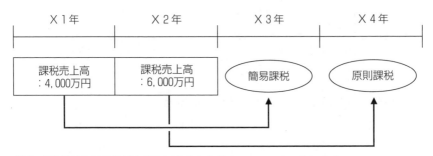

(注)「消費税簡易課税制度選択届出書」を提出しているものとします。

3．消費税簡易課税制度選択届出書の効力

(1)　簡易課税制度を選択する場合

　「消費税簡易課税制度選択届出書」を提出した場合には，提出をした課税期間の翌課税期間以後から簡易課税制度が適用されることになります。すなわち，簡易課税制度の適用を受けようとする場合には，適用を受けようとする課税期間の前課税期間中に，「消費税簡易課税制度選択届出書」を提出しなければなりません。

　なお，新設法人や個人が初めて事業を開始した場合など次に掲げる場合には，「消費税簡易課税制度選択届出書」を提出した課税期間から簡易課税制度の適用を受けることができます。

①　新設法人や事業を営んでいなかった個人が事業を営む場合

②　個人事業者が相続により簡易課税制度を選択していた被相続人の事業を承継した場合における，当該相続のあった日の属する課間

③　法人が合併（合併により法人を設立する場合を除く）により簡易課税制度を選択していた被合併法人の事業を承継した場合における当該合併のあった日の属する課税期間

④　法人が吸収分割により簡易課税制度を選択していた分割法人の事業を承継した場合における当該分割のあった日の属する課税期間

⑤　災害等により被害を受けたことにより簡易課税の適用を受けることが必

138

要となった場合における当該災害等があった日の属する課税期間

(注) 上記①～⑤に該当する場合には，届出の効力開始の時期，すなわち，簡易課税制度の適用開始時期については，提出があった日の属する課税期間か，翌課税期間かのどちらかを選択することができます。

⑵　相続・合併・分割があった場合の留意点

　相続，合併または分割があった場合において，被相続人，被合併法人または分割法人が「消費税簡易課税制度選択届出書」を提出していた場合であっても，その効力は，事業を承継した相続人，合併法人または分割承継法人には及びません。したがって，事業を承継した相続人，合併法人または分割承継法人が，引き続き簡易課税制度の適用を受けようとする場合には，新たに「消費税簡易課税制度選択届出書」を提出しなければなりません。

相続・合併・分割があった場合

⑶　免税事業者が適格請求書発行事業者の登録を受ける場合の経過措置（28年改正法附則44④，30年改正令附則18）

　免税事業者が令和5年10月1日から令和11年9月30日までの日の属する課税期間中に適格請求書発行事業者の登録を受ける場合には，登録日から課税事業者になる経過措置が設けられています。この経過措置の適用を受ける場合にお

いて，登録日の属する課税期間の末日までに当該課税期間から簡易課税制度の適用を受ける旨を記載した消費税簡易課税制度選択届出書を提出したときは，当該課税期間から簡易課税制度の適用を受けることができます。

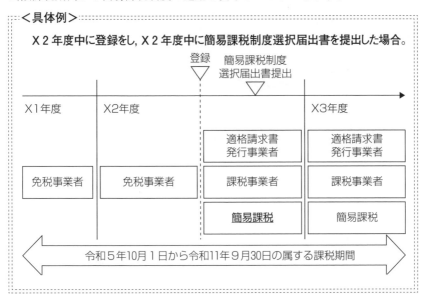

＜具体例＞

X2年度中に登録をし，X2年度中に簡易課税制度選択届出書を提出した場合。

⑷　調整対象固定資産を購入した場合の提出制限

次に掲げる場合には，調整対象固定資産を購入した日の属する課税期間の初日から3年を経過する日の属する課税期間の初日以後でなければ，「簡易課税制度選択届出書」を提出することはできません（第2章第7節3.⑹参照）。

① 「課税事業者選択届出書」を提出した事業者のうち課税事業者となった日の初日から同日後2年を経過する日までの間に開始した各事業年度中（簡易課税制度または2割特例の適用を受ける課税期間を除く）に調整対象固定資産を購入した場合

② 基準期間がない法人（社会福祉法人等一定の法人を除く）で資本金の額または出資金の額が1,000万円以上である者がその基準期間がない課税期間中（簡易課税制度または2割特例の適用を受ける課税期間を除く）に調整対象固定資産を購入した場合

140

⑸　高額特定資産を購入した場合の提出制限

　課税事業者が，簡易課税制度または2割特例の適用を受けない課税期間中に，高額特定資産（第2章第7節3.⑺参照）を購入した場合には，高額特定資産を購入した日の属する課税期間の翌課税期間からその購入をした日の属する課税期間の初日から3年を経過する日の属する課税期間までの各課税期間においては，簡易課税制度を適用することはできません。

　また，課税事業者が，簡易課税制度の適用を受けない課税期間中に，自己建設高額特定資産（第2章第7節3.⑺参照）の建設等を行った場合には，建設等に要した費用の累計額が1,000万円以上となった日の属する課税期間の翌課税期間からその建設等が完了した日の属する課税期間の初日以後3年を経過する日の属する課税期間までの各課税期間においては，簡易課税制度を適用することはできません。

⑹　高額特定資産である棚卸資産について消費税額の調整措置を受けた場合の提出制限

　事業者が，免税事業者である課税期間中に取得した高額特定資産である棚卸資産について，免税事業者が課税事業者となる場合等の棚卸資産に係る消費税額の調整措置（第2章第7節6.参照）の適用を受けた場合には，その調整措置を受けた課税期間の初日以後3年を経過する日の属する課税期間までの各課税期間においては簡易課税制度を適用することはできません。

　また，事業者が，免税事業者である課税期間中に建設等を行った自己建設高額特定資産である棚卸資産について，免税事業者が課税事業者となる場合等の棚卸資産に係る消費税額の調整措置の適用を受けた場合には，その調整措置を受けた課税期間(注)の初日以後3年を経過する日の属する課税期間までの各課税期間においては簡易課税制度を適用することはできません。

　(注)　棚卸資産に係る消費税額の調整措置の適用を受けることとなった日の前日までに建設等が完了していない場合には建設等が完了した日の属する課税期間

⑺　金地金等を取得した場合の提出制限

　課税事業者が簡易課税制度または2割特例の適用を受けない課税期間中に金

または白金の地金等の仕入れ等をした場合において，その仕入れ等をした課税期間中のその仕入れ等の金額の合計額（税抜価格）が200万円以上のときは，その仕入れ等をした日の属する課税期間の翌課税期間からその仕入れ等をした日の属する課税期間の初日から３年を経過する日の属する課税期間までの各課税期間においては，簡易課税制度を適用することはできません。

4．簡易課税制度を取りやめる場合 （法37⑤）

(1)　概　　要

　簡易課税制度の適用をやめようとする場合には，「消費税簡易課税制度選択不適用届出書」を提出しなければなりません。

　なお，「消費税簡易課税制度選択不適用届出書」は，適用をやめる課税期間の前課税期間中に提出しなければなりません。

(2)　消費税簡易課税制度選択不適用届出書を提出できる期間

　「消費税簡易課税制度選択不適用届出書」は，事業を廃止した場合や災害等により被害を受けた場合等を除き，原則として「消費税簡易課税制度選択届出書」を提出した課税期間の翌課税期間の初日から２年を経過する日の属する課税期間の初日以後でなければ提出することはできません。すなわち，簡易課税制度を２年間継続して選択した後でなければ，簡易課税制度の適用をやめることはできません。具体的には次の図のようになります。

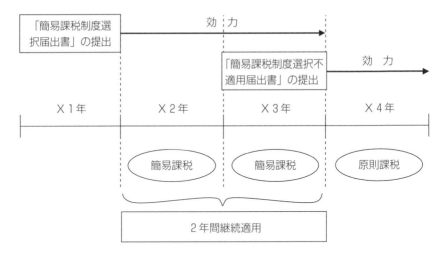

(3) 消費税簡易課税制度選択届出書の効力との関係

「消費税簡易課税制度選択届出書」の効力は，「消費税簡易課税制度選択不適用届出書」を提出しない限り，消滅しません。

したがって，例えば，「消費税簡易課税制度選択届出書」を提出し，簡易課税制度の適用を受けていた事業者が，基準期間における課税売上高が5,000万円を超えたことで簡易課税制度の適用を受けなくなった場合において，その後，再び，基準期間における課税売上高が5,000万円以下となったときには，「消費税簡易課税制度選択不適用届出書」を提出していない限り，引き続き簡易課税制度で計算しなければなりません。具体的には次の図のようになります。

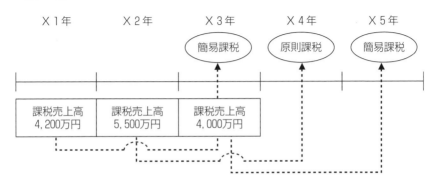

（注1）　「消費税簡易課税制度選択届出書」を提出しているものとします。
（注2）　「消費税簡易課税制度選択不適用届出書」の提出はしていないものとします。

　上記の場合，X4年中に「消費税簡易課税制度選択不適用届出書」の提出がない場合には，X5年については，簡易課税により計算しなければなりません。

5．みなし仕入率

⑴　みなし仕入率とは

　簡易課税制度の場合には，売上げに係る消費税額に一定の仕入率を乗じて，仕入税額控除額を計算します。

　その際に，売上げに係る消費税額に乗ずる一定の仕入率をみなし仕入率といいます。

　みなし仕入率は，課税売上高を6つの業種に区分し，それぞれの業種ごとに以下のように定められています。

業種区分	みなし仕入率	事業の内容
第1種事業	90%	卸売業（他の者から購入した商品をその性質および形状を変更しないで他の事業者に販売する事業。つまり，購入した商品をそのまま事業者に販売する事業をいう）
第2種事業	80%	小売業（他の者から購入した商品をその性質および形状を変更しないで販売する事業で第1種事業以外の事業。つまり，購入した商品をそのまま事業者以外（消費者）に販売する事業をいう），農業・林業・漁業（飲食料品の譲渡に限る）
第3種事業	70%	農業・林業・漁業（飲食料品の譲渡を除く），鉱業，建設業，製造業，電気ガス事業など
第4種事業	60%	第1種～第3種，および第5種～第6種事業以外の事業（飲食店業など）
第5種事業	50%	通信運輸業・サービス業・金融業および保険業
第6種事業	40%	不動産業

(2) 複数の事業を営んでいる場合の事業区分の判定

　第1種事業から第6種事業のうち2種類以上の事業を行っている事業者は，簡易課税制度の適用にあたって，課税資産の譲渡等ごとに，どの事業区分に属するかの判定をしなければなりません。

　したがって，複数の事業を営んでいる事業者は，帳簿に事業の種類を記帳し，取引を事業の区分ごとに記帳することなどが必要とされます。

事業の区分記載

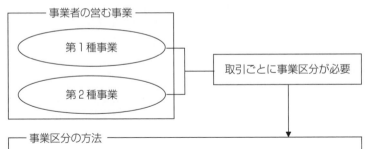

6．事業区分の判定

(1)　事業区分の判定単位

　事業者の行う事業が，第1種事業から第6種事業のいずれの事業に該当するかの判定は，原則として，事業者が行う課税資産の譲渡等ごとに行うことになります。

(2)　卸売業および小売業の注意点

①　第1種事業および第2種事業の違い

　　第1種事業および第2種事業のどちらも，他の者から購入した商品をその性質および形状を変更しないで販売する事業をいいますが，販売の相手先が事業者（卸売業）である場合には第1種事業，消費者（小売業）である場合には第2種事業に区分されます。

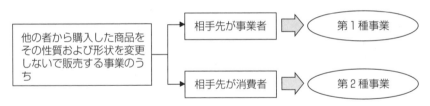

事業区分判定フローチャート

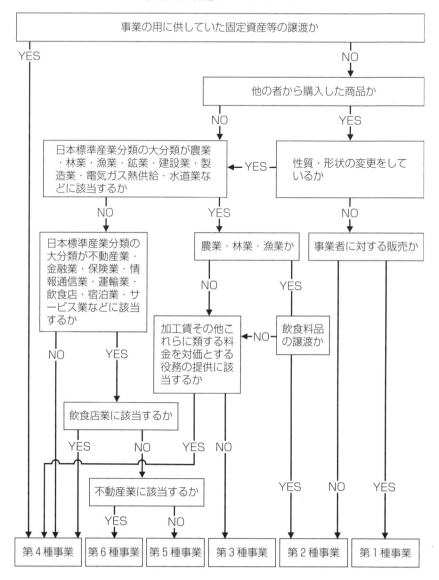

② **性質および形状を変更しないこと**

　　性質および形状を変更しないとは，購入した商品に加工を加えないこと
をいいますが，次に掲げるような加工を施したうえで販売した場合であっ
ても，「性質および形状の変更をしない」ものとして取り扱われます。

(イ)　他の者から購入した商品に商標，ネームなどをはり付けまたは表示す
　　る行為

(ロ)　運送の利便のために分解されている部品などを単に組み立てて販売す
　　る場合

(ハ)　2以上の仕入商品を箱詰めする等の方法により組み合わせて販売する
　　場合

③ **食料品小売店舗において行う販売商品の加工等の取扱い**

　　事業者が他の者から購入した食料品を，その性質および形状を変更しな
いでもっぱら消費者に販売する店舗において，販売される食料品に軽微な
加工を行って販売する場合には，その加工がその店舗内において一般的に
行われるものであり，その加工後の商品が加工前の商品と同一の店舗で販
売されるものであるときは，第2種事業に該当するものとします。

　　ここで，軽微な加工とは，仕入れた商品を切る，刻む，つぶす，挽くな
どの行為をいい，加熱する行為は原則として軽微な加工には該当しませ
ん。

(3) **製造業および建設業の注意点**

① **製造業の範囲**

　　次に掲げる事業については，第3種事業に該当するものとして取り扱わ
れます。

(イ)　自己の計算において原材料等を購入し，これをあらかじめ指示した条
　　件に従って下請加工させて完成品として販売する事業（いわゆる製造問屋
　　としての事業）

(ロ)　自己が請け負った建設工事（第3種事業に該当するものに限る）の全部を
　　下請けに施工させる元請けとしての事業

(ハ) 天然水を採取して瓶詰等して人の飲用に販売する事業

(ニ) 新聞，書籍等の発行，出版を行う事業

② 製造小売業について

洋服の仕立小売業，菓子製造小売業，パン製造小売業などのいわゆる製造小売業については，日本標準産業分類においては，小売業に分類されていますが，簡易課税制度においては，製造業に含まれ，第３種事業に該当します。

③ 加工賃等を対価とする役務の提供

加工賃等を対価とする役務の提供は第４種事業に該当します。

ここで，加工賃等を対価とする役務の提供とは，第３種事業に該当する製造業等のうち，他の者の原料もしくは材料または製品等に加工等を施して，その加工等に対して対価を受け取る役務の提供をいいます。

④ 加工くず等の売却が行われた場合

第３種事業に該当する建設業，製造業等に係る事業に伴い生じた加工くず，副産物等の譲渡を行った場合には，第３種事業に該当します。

(4) 不動産業の注意点

不動産業に係る課税資産の譲渡等については，次のように取り扱われます。

取引の内容	事業区分
他の者が建築した住宅を購入してそのまま事業者に販売する場合	第１種事業
他の者が建築した住宅を購入してそのまま消費者に販売する場合	第２種事業
自ら建築した住宅を販売する場合	第３種事業
不動産賃貸業（事務所などの賃貸）	第６種事業
不動産仲介業・不動産斡旋業	第６種事業

７．インボイス制度開始後の小規模事業者に係る特例（２割特例）

(1) 概　　要

令和５年度税制改正により小規模事業者について売上に係る消費税額の80％

を仕入税額控除額とし，売上に係る消費税額の20％を納税額とすることができる経過措置（2割特例）が導入されました。これは免税事業者が適格請求書発行事業者（課税事業者）を選択する際の負担を軽減するための措置と考えられます。

　2割特例を適用することができる適格請求書発行事業者は，その確定申告書にその適用を受けることを付記することにより，その売上に係る消費税額の80％を仕入税額控除額として計算することができます（選択適用）。

　この2割特例は令和5年10月1日から令和8年9月30日までの日の属する課税期間について適用することができます。

【2割特例を適用した場合の納付税額のイメージ】

2割特例は，基準期間の課税売上高の判定等により免税事業者（課税事業者選択届出書の提出により課税事業者となる免税事業者を含む）となる事業者[注1]が適格請求書発行事業者となった場合に適用することができます。ただし，以下の要件を満たす課税期間に限られます。

(2)　適用対象

　2割特例は，基準期間の課税売上高の判定等により免税事業者（課税事業者選択届出書の提出により課税事業者となる免税事業者を含む）となる事業者[注1]が適格請求書発行事業者となった場合に適用することができます。ただし，以下の要件を満たす課税期間に限られます。

① 　令和5年10月1日から令和8年9月30日までの日の属する課税期間であること

② 　令和5年10月1日の属する課税期間については，令和5年10月1日前から引き続き課税事業者選択届出書の提出により課税事業者となっている課税期間でないこと[注2]

③ 　課税事業者選択届出書の提出により課税事業者となった後2年以内に調整対象固定資産（第2章第7節3．(6)参照）の課税仕入を行い，当該課税仕入の日の属する課税期間の初日以後3年を経過する日の属する課税期間までの課税期間でないこと

④ 　課税期間の短縮の特例の適用を受けている課税期間でないこと　　　　など

(注1) 令和6年10月1日以後は，課税期間の初日において恒久的施設 ^(注3) を有しない
国外事業者 ^(注4) を除く。

(注2) 課税事業者選択届出書の提出により令和5年10月1日の属する課税期間の初日
から課税事業者となる適格請求書発行事業者が，当該課税期間中に課税事業者選
択不適用届出書を提出した場合には，当該課税期間は②の要件を満たすことにな
る。

(注3) 非居住者または外国法人の国内にある支店等（所法2①八の四または法法2十
二の十九）

(注4) 非居住者である個人事業者および外国法人

(3) 適 用 選 択

　2割特例は，7．(2)の要件を満たす課税期間に係る確定申告書に，その適用
を受ける旨を付記することにより適用されるので事前の届出は不要です。これ
に対して，簡易課税制度を選択する場合には，原則としてその適用しようとす
る課税期間の開始の日の前日までに簡易課税制度を選択する旨の届出書の提出
が必要となるため，同日までに判断する必要があります。原則計算または簡易
課税制度と2割特例とを比較し，いずれを選択するかは当該課税期間の確定申
告のタイミングに行えばよいことになります。

【原則計算・簡易課税制度・2割特例の特徴】

項目	原則計算	簡易課税制度	2割特例
会計処理	仕入に係る消費税額の実額を使用するため，日々の会計仕訳の段階から区分処理をしておくことが必要。	売上に係る消費税額から控除税額を計算するため，仕入に係る消費税額について区分処理する必要がない。	売上に係る消費税額から控除税額を計算するため，仕入に係る消費税額について区分処理する必要がない。
仕入に係る適格請求書の保存	必要	不要	不要

仕入税額控除額の計算方法	仕入に係る消費税額の実額から課税売上に対応する税額控除額を計算する（個別対応方式と一般比例方式の2つの方法がある）。	売上に係る消費税額について事業種類ごとのみなし仕入率（事業種類により40%，50%，60 %，70 %，80%，90%）を乗じて計算する。	売上に係る消費税額について80%を乗じて計算する。
還付申告	売上に係る消費税額よりも仕入に係る消費税額が大きい場合には還付申告となり得る。	不可	不可
選択届出	なし	原則として適用しようとする課税期間の初日の前日までに選択する旨の届出を行う必要がある。	なし
適用要件	なし	基準期間の課税売上高が5,000万円以下である。	基準期間の課税売上高の判定などにより免税事業者となる適格請求書発行事業者で一定の課税期間。

(4)　2割特例適用課税期間の翌課税期間

　2割特例の適用を受けた適格請求書発行事業者が，当該適用を受けた課税期間の翌課税期間中に簡易課税制度選択届出書を提出した場合，その提出した課税期間から簡易課税制度の適用を受けることができます（簡易課税制度選択届出書は原則としてその適用を受けようとする課税期間の初日の前日までに提出する必要がありますが，その課税期間の初日の前日に提出したものとみなされます）。

第9節 売上げに係る対価の返還等をした場合の 消費税額の控除

1. 売上げに係る対価の返還等をした場合 (法38)

　売上げに係る対価の返還等とは，売上げた商品の返品・値引き等をいいます。例えば，事業者が商品を販売した場合において，その後の課税期間において返品等を受けたときは，商品等を販売した課税期間における消費税は，結果として過大になります。

　そのため，売上げに係る対価の返還等をした場合には，その対価の返還等をした日の属する課税期間の課税標準額に対する消費税額から対価の返還等をした売上げに係る消費税額を控除することとしています。

(1) 売上げに係る対価の返還等の例

　売上げに係る対価の返還等には，次のものがあります。

① 売上げた商品の返品

② 売上金額の値引

③ 売上割戻(販売促進の目的で，販売高等に応じて取引先に対して支払うもの。リベートのこと)

④ 売上割引(課税資産の譲渡等に係る対価についてその支払期日より前に支払いを受けたことにより割り引いたもの)

(2) 売上げに係る対価の返還等に係る消費税額の控除

　売上げに係る対価の返還等に係る消費税額は，その返還等をした課税期間において控除します。なお，その返還等が前期以前の売上げであってもその返還等をした課税期間において控除します。

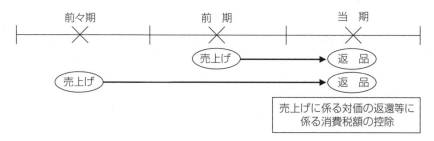

(3) 税額控除の処理を行わない返還等

次に掲げるものについては，税額控除は行いません。

① 輸出免税売上げに係る返還等

② 非課税売上げに係る返還等

③ 不課税売上げに係る返還等

④ 免税事業者であった期間の売上げに係る返還等

2．控除税額の算出方法

売上げに係る対価の返還等の金額に係る消費税額は，税込みの売上げに係る対価の返還等の金額に110分の7.8(軽減税率の適用対象となった売上げに係るものについては108分の6.24）を乗じて算出します。

なお，売上げに係る対価の返還等の金額に係る消費税額の控除は，その返還等をした課税期間に行いますが，その控除額の算出にあたっては，当該返還等に係る売上げについて適用された税率を用いて計算します。したがって，旧税率の8％が適用された売上げについて返還等があった場合には，8％の税率で，税率10％が適用された売上げについて返還等があった場合には，10％の税率で控除額の計算を行います。

3．適 用 要 件

売上げに係る対価の返還等をした金額の明細を記録した帳簿を保存しない場合には，その保存がない部分の消費税額については適用されません。

(注) 事業者は，その内容を記録した帳簿を整理し，その帳簿の閉鎖日の属する課税期間の末日の翌日から2月を経過した日から7年間，事務所等に保存しなければなりません。

４．インボイス制度導入後の取扱い （法57の４③，令70の９③二）

　インボイス制度導入後，適格請求書発行事業者が売上げに係る対価の返還等をした場合には，適格返還請求書の交付義務が課されます。ただし，適格請求書の交付義務が免除されている３万円未満の公共交通料金等の一定の取引に対する返還等および売上げに係る対価の返還等の税込価額が１万円未満である場合には，適格返還請求書の交付義務が免除されます。

> # 第10節　特定課税仕入れに係る対価の返還等を受けた場合の消費税額の控除

１．特定課税仕入れに係る対価の返還等を受けた場合 （法38の２）

　特定課税仕入れを行った事業者は，原則として，リバースチャージ方式による消費税の納税義務があります（第２章第２節１.納税義務者参照）。特定課税仕入れに係る消費税を納付した事業者がその特定課税仕入れに係る対価について値引きまたは割戻しにより対価の返還や債務の減額を受けた場合には，その対価に係る消費税は過大納付であったことになります。

　そのため，その特定課税仕入れに係る対価の返還等を受けた日の属する課税期間の課税標準額に対する消費税額から対価の返還等を受けた金額に係る消費税額を控除します。

特定課税仕入れに係る対価の返還等

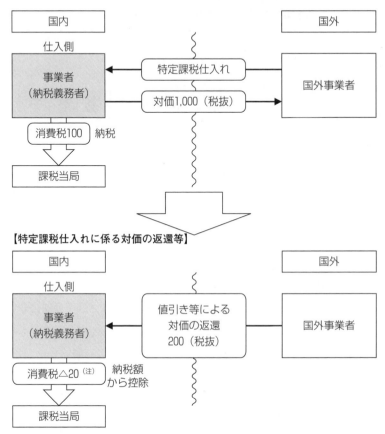

(注) 実際の申告書上は国税対応分（7.8%分）が控除税額として記載されます。

２．控除税額の算出方法

　特定課税仕入れに係る対価の返還等を受けた金額に係る消費税額は，当該返還を受けた金額に100分の7.8を乗じて算出します。

３．適 用 要 件

　特定課税仕入れに係る対価の返還等を受けた金額の明細を記録した帳簿を保

存しない場合には，その保存がない部分の消費税額については適用されません。

> **(注)** 事業者は，その内容を記録した帳簿を整理し，その帳簿の閉鎖日の属する課税期間の末日の翌日から2月を経過した日から7年間，事務所等に保存しなければなりません。

第11節 貸倒れに係る消費税額の控除 (法39)

1. 制度の概要

消費税は，対価のやり取りが行われた取引に限り課税することとしていますが，売掛金等が貸倒れとなった場合には，結果的に対価のやり取りが行われない取引となります。

そこで貸倒れに係る消費税額については，貸倒れの発生した課税期間の課税標準額に対する消費税額から控除することとしています。

(1) 貸倒れに係る消費税額の控除

貸倒れに係る消費税額は，その貸倒れとなった日の属する課税期間において控除します。なお，その貸倒れが前期以前の売上げに係るものであってもその貸倒れとなった日の属する課税期間において控除します。

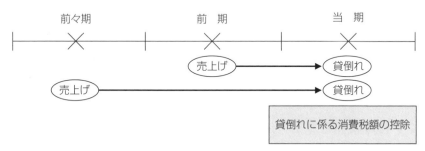

(2) 税額控除を行わない貸倒れ

次に掲げるものについては，税額控除は行いません。

① 輸出免税売上げに係る売掛債権の貸倒れ

② 非課税売上げに係る貸倒れ

③　不課税売上げに係る貸倒れ

④　免税事業者であった期間の売上げに係る貸倒れ

2．控除税額の算出方法

　貸倒れに係る消費税額の算出方法は，貸倒れに係る消費税額の税込価額または回収をした売掛金等の税込価額に110分の7.8（軽減税率が適用されている場合には108分の6.24）を乗じて算出します。

> **（注1）**　旧税率の5％が適用されている売掛債権等については，その税込価額に105分の4を乗じて算出します。

> **（注2）**　旧税率の8％が適用されている売掛債権等については，その税込価額に108分の6.3を乗じて算出します。

3．適　用　要　件

　売掛金等の債権について，貸倒れが起きたことを証明する書類を保存しない場合には適用がありません。

4．貸倒れ回収額に係る消費税額

　貸倒れに係る消費税額の規定の適用を受けた事業者が，貸倒れとなった債権金額を回収したときは，その回収をした金額を，その回収をした課税期間の課税標準額に対する消費税額に加算します。

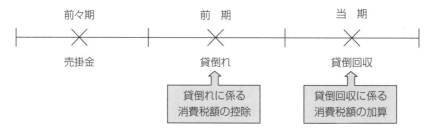

5．免税事業者であった課税期間における売掛金等の貸倒れ

　免税事業者であった課税期間に行った課税資産の譲渡等に係る売掛金等は，

譲渡時に消費税が課されていないため，その後その売掛金等が貸倒れたとして
も，税額控除の規定の適用はありません。

第12節 申 告

1. 確 定 申 告 (法45)

(1) 内 容

　事業者は原則として課税期間の末日の翌日から 2 か月以内に確定申告書を提
出し，消費税額を納付しなければなりません。

確定申告期限

区分			申告期限
法人	下記以外の法人	原則	事業年度の末日の翌日から 2 か月
		課税期間を 3 か月に短縮している法人	3 か月ごとに区分した各期間の末日の翌日から 2 か月
		課税期間を 1 か月に短縮している法人	1 か月ごとに区分した各期間の末日の翌日から 2 か月
	清算中の法人で残余財産が確定した法人		残余財産の確定日の翌日から 1 か月（ 1 か月以内に残余財産の最後の分配が行われる場合にはその前日）
個人事業者	下記以外の個人事業者	原則	翌年の 3 月31日
		課税期間を 3 か月に短縮している個人事業者	3 か月ごとに区分した各期間の末日の翌日から 2 か月（ただし，10月～12月分は翌年の 3 月31日）
		課税期間を 1 か月に短縮している個人事業者	1 か月ごとに区分した各期間の末日の翌日から 2 か月（ただし，12月分は翌年の 3 月31日）
	被相続人の消費税を申告する者		相続の開始があったことを知った翌日から 4 か月を経過した日の前日

(2) 確定申告の記載事項

確定申告書には次に掲げる事項を記載しなければなりません。

① 課税標準額

② 課税標準額に対する消費税額

③ 課税標準額に係る消費税額から控除されるべき次の金額

　㈤ 仕入れに係る消費税額

　㈹ 売上げに係る対価の返還等の金額に係る消費税額

　㈥ 特定課税仕入れに係る対価の返還等の金額に係る消費税額

　㈺ 貸倒れに係る消費税額

④ ②から③を控除した金額（または控除不足額）

⑤ 中間申告書を提出している場合には中間納付額から④の金額を控除した金額（または控除不足額）

⑥ 上記計算の基礎となる事項等

(3) 法人の確定申告期限の延長 （法45の2）

　法人税の確定申告期限の延長の特例[注1]の適用を受ける法人が，消費税の確定申告期限の延長をする旨の届出書を提出した場合には，その提出をした日の属する事業年度以後の各事業年度終了の日の属する課税期間については消費税の確定申告期限を1か月延長することができます。

　なお，課税期間の短縮の特例の適用を受ける場合には，事業年度終了の日の属する課税期間のみ確定申告期限が延長され，それ以外の課税期間に係る確定申告の期限は延長されません。

① 課税期間が事業年度 （1年） の場合

② 課税期間を短縮している場合（例：3か月）

（注1）　法人税の確定申告書の提出期限の延長の特例

以下の場合などに法人税の確定申告書の提出期限の延長が認められます。

① 定款等の定めにより各事業年度の末日の翌日から2か月以内に定時総会が招集されない常況にある場合：1か月（通算法人の場合は2か月）の延長

② 会計監査人を置いている場合で，かつ，定款等の定めにより，各事業年度終了の日の翌日から3か月以内（通算事業年度は4か月以内）に定時総会が招集されない常況にある場合：最長4か月の延長

（注2） 消費税の納付については延長された期間（1か月）に係る利子税を納付する必要があります。

2．中 間 申 告 (法42)

⑴ 内　　　容

課税事業者は，確定申告以外に年の中途において，中間申告書を提出し，消費税額を納付しなければなりません。

ただし，次の事業者は中間申告が不要です。

① 法　　　人

(イ) 設立1期目（合併の場合を除く）

(ロ) 消費税の課税期間を短縮している法人

(ハ) 事業年度が3か月以下の法人

② 個　　　人

(イ) その年に新規開業をした個人

(ロ) 消費税の課税期間を短縮している個人

⑵ 中間申告の回数

前課税期間の年税額により中間申告すべき回数が異なります。

区分	前課税期間の年税額48万円 ^(注) 以下	前課税期間の年税額48万円 ^(注) 超，400万円 ^(注) 以下	前課税期間の年税額400万円 ^(注) 超，4,800万円 ^(注) 以下	前課税期間の年税額4,800万円 ^(注) 超
回数	中間申告不要	年1回	年3回	年11回

(注)　地方消費税は含まれません。

(3)　中間申告の方法

次のいずれかの算式により計算した金額を中間申告税額として申告します。

①　前年度実績による中間申告

(イ)　年1回の場合

$$\text{直前の課税期間の年税額} \times \frac{6}{\text{直前の課税期間の月数}}$$

(ロ)　年3回の場合

$$\text{直前の課税期間の年税額} \times \frac{3}{\text{直前の課税期間の月数}}$$

(ハ)　年11回の場合

$$\text{直前の課税期間の年税額} \times \frac{1}{\text{直前の課税期間の月数}}$$

②　仮決算による中間申告 （法43）

仮決算による中間申告とは，中間申告対象期間について決算を組んで消費税を計算し中間申告を行う方法です。

(4)　留　意　点

①　中間申告書を提出すべき事業者が提出をしなかった場合には，上記(3)①の前年度実績による申告書の提出があったものとみなされます。すなわち，納付のみを行うことになります。

② 仮決算により計算した金額がマイナスであっても還付を受けることはできません。

③ 年3回または11回の中間申告を行う事業者は「1回目の中間申告は仮決算方式，2回目は前年度実績」のように異なる申告ができます。

(5) 中間申告期限

中間申告をする場合には，次に掲げる区分に応じ，それぞれに掲げる日までに中間申告書を提出し，消費税を納付しなければなりません。

① 個　　　人

中間申告回数	中間申告期限
年11回	毎月末の翌日から2か月以内。ただし，1月分と2月分については5月末まで
年3回または1回	各中間申告対象期間の末日の翌日から2か月以内

② 法　　　人

中間申告回数	中間申告期限
年11回	毎月末の翌日から2か月以内。ただし，事業年度の最初の月については3か月以内。1.(3)の確定申告期限の延長の適用がある場合には，事業年度の最初の1月については4か月以内，2月目については3か月以内
年3回または1回	各中間申告対象期間の末日の翌月から2か月以内

(6) 任意の中間申告制度

① 概　　　要

前課税期間の年税額が48万円（地方消費税を含まない額）以下の事業者は，原則として中間申告義務はありません。ただし，任意に中間申告書を提出する旨を記載した届出書を納税地の所轄税務署長に提出した場合には，当該届出書を提出した日以後にその末日が最初に到来する6月中間申告対象期間（その課税期間開始の日以後6月の期間）から，自主的に中間申告

および納付をすることができます。

② **申 告 方 法**

　任意の中間申告は，前年度実績による場合と仮決算による場合のいずれの方法でも計算できます。

③ **申 告 期 限**

　任意の中間申告制度を適用した場合，6月中間申告対象期間の末日の翌日から2か月以内に，所定の事項を記載した中間申告書を納税地の所轄税務署長に提出するとともに，その申告に係る消費税額および地方消費税額を併せて納付する必要があります。

　中間申告書をその提出期限までに提出しなかった場合には，6月中間申告対象期間の末日に，任意の中間申告制度の適用をやめようとする旨を記載した届出書の提出があったものとみなされます。結果として，中間納付ができないこととなります。

3．電子情報処理組織による申告の特例 (法46の2)

　大法人は，確定申告書，中間申告書，修正申告書，還付申告書およびその添付書類を，電子情報処理組織を使用する方法（e-Tax）により提出することが義務化されています。

　なお，ここでいう大法人とは，内国法人のうち事業年度開始の時において資本金の額または出資金等の額が1億円を超える法人ならびに相互会社，投資法人，特定目的会社，国および地方公共団体を指します。

第13節　国，地方公共団体に対する特例 <small>(法60)</small>

1．制度の概要

　営利活動を行う一般的な事業者だけでなく，国や地方公共団体についても，国内において課税資産の譲渡等を行う限りは，消費税を納める義務があります。ただし，これらが行う事業活動は，一般的な事業者が行う事業活動とは異なる側面を持っていますので，消費税の計算を行うにあたって，特例規定が設けられています。具体的には，「事業単位の特例」「資産の譲渡等の時期の特例」「仕入税額控除の計算の特例」「申告期限等の特例」の大きく４つがあげられます。

　また，国および地方公共団体と同様に，純粋な営利活動を目的とはしていない学校法人，宗教法人など（以下「公共法人等」という）やPTAや各種の同業者団体など法人には該当しない任意の団体である「人格のない社団等」についても，上記特例の一部の適用を受ける場合があります。

特例の対象となる事業者と特例規定の区分

特例の対象となる事業者		特例規定			
		事業単位	資産の譲渡等の時期	仕入税額控除の計算	申告期限
国 地方公共団体	一般会計	会計ごとに事業とみなす	すべて年度末に行われたものとみなす	売上げに係る消費税 ＝ 仕入れに係る消費税	なし^(注)
	特別会計	会計ごとに事業とみなす	すべて年度末に行われたものとみなす	特定収入に係る調整あり	あり
公共法人等		なし	すべて年度末に行われたものとみなす （要承認）	特定収入に係る調整あり	あり
人格のない社団等		なし	なし	特定収入に係る調整あり	あり

(注)　仕入税額控除の特例により申告義務自体が生じません。

2．事業単位の特例 (法60，令72)

　国および地方公共団体においては，基本的な行政運営全般に係る「一般会計」と水道事業など特定の事業に係る「特別会計」に区分して経理がされているため，「一般会計」に係る事業または「特別会計」を設けて行う事業ごとに，一の法人が行う事業とみなして消費税の計算をすることとされています。「一般会計」または「特別会計」のどちらに属するのかによって後述する仕入税額控除の特例，申告期限等の特例の取扱いも異なります。

　なお，「特別会計」を設けて行う事業であったとしても，常に「一般会計」に対して資産の譲渡等を行うために設けられたものについては，「一般会計」に係る業務として行う事業とみなされます。

一般会計と特別会計

一般会計	社会福祉活動や警察活動など基本的な行政運営全般に係る経理をする会計

区別して経理がされている

特別会計	水道事業や病院事業など特定の事業を行う場合に経理を他の会計と区別する必要があるため，法律や条例に基づいて行われている会計

事業単位の特例

国 地方公共団体		一般会計	一の法人が行う事業とみなす	一般会計に係る特例を適用
	特別会計	もっぱら一般会計に対して資産の譲渡等を行う特別会計		一般会計に係る特例を適用
		上記以外		特別会計に係る特例を適用

(注) 会計ごとに一の法人が行う事業とみなすことにより,「一般会計と特別会計間」または「異なる特別会計間」の取引についても,消費税の課税の対象となる取引に含まれます。

3. 資産の譲渡等の時期の特例 (法60,令73,74)

　国および地方公共団体が行う事業に係る収入および支出を,いつの会計年度に計上するのかについては,それぞれ特別の法令により規定されているため,消費税の計算における資産の譲渡等の時期について,原則的な「発生主義」という考え方を持ち込むことは実情に合いません。そこで,収入および支出はその法令により計上すべきこととされている会計年度の「末日」において行われたものとすることができる特例が設けられています。

　また,公共法人等のうち,その会計処理が国または地方公共団体に準ずるものについては,納税地の所轄税務署長の承認を受けることにより,同様の特例を受けることができます。

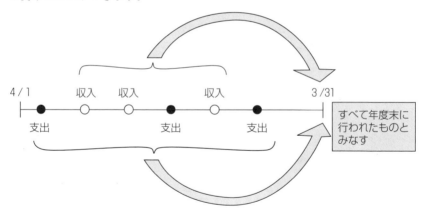

4．仕入税額控除に係る特例 （法60，令75）

(1)　一般会計（国または地方公共団体）の場合

　国または地方公共団体が行う事業のうち，「一般会計」に係る事業については，売上げに係る預かった消費税額から控除する仕入れに係る支払った消費税額は，その預かった消費税額と同額とみなされます。つまり，消費税の納付額は必ずゼロになり，負担が生ずることはありませんし，還付を受けることもありません。

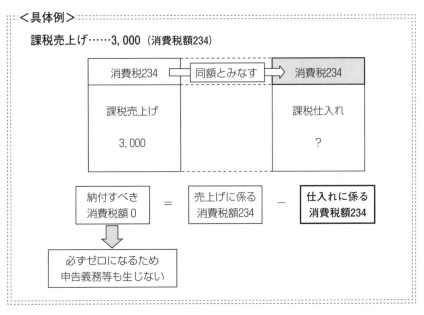

(2)　特別会計（国または地方公共団体），公共法人等，人格のない社団等の場合

①　特定収入がある場合の特例

　　　国または地方公共団体が行う事業のうち「特別会計」を設けて行う事業，公共法人等および人格のない社団等が行う事業については，補助金や寄附金，税金など，通常の売上げとは異なる，消費税の課税の対象とはならない対価性のない収入（特定収入）を財源としてその事業活動を行ってい

るケースが多くあります。このような特定収入を財源にして課税仕入れを行った場合に，その課税仕入れについて支払った消費税を，通常の計算どおりに預かった消費税から控除することは，最終的な消費者が消費税を負担するという，消費税の本来の仕組みに照らし合わせて望ましい計算とはいえません。そこで，控除する消費税額について，一定の調整を加えることになります。

特定収入がある場合の消費税額の計算方法

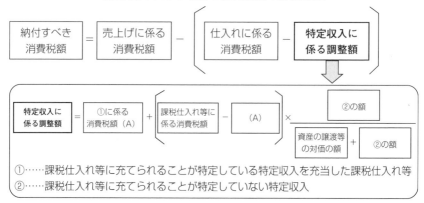

①……課税仕入れ等に充てられることが特定している特定収入を充当した課税仕入れ等
②……課税仕入れ等に充てられることが特定していない特定収入

(注) 課税売上割合が95％以上，かつ，課税売上高が5億円以下であることを想定しています。

② 特定収入に係る課税仕入れ等の税額の調整

売上げに係る消費税額から控除することができる仕入れに係る消費税額は，通常の方法により計算した仕入れに係る消費税額から，特定収入から充てられた仕入れに係る消費税額を控除した残額となります。つまり，特定収入から充てられた仕入れに係る消費税額については，売上げに係る消費税額からは控除できないことになります。

なお，この取扱いは，全体の収入のうちに特定収入の占める割合（特定収入割合）が5％以下の課税期間および簡易課税制度の適用を受ける課税期間については，適用されません。

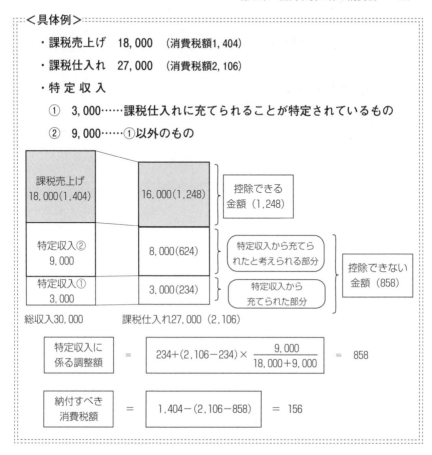

＜具体例＞

- 課税売上げ　18,000　（消費税額1,404）
- 課税仕入れ　27,000　（消費税額2,106）
- 特定収入

① 3,000……課税仕入れに充てられることが特定されているもの

② 9,000……①以外のもの

5．申告期限等の特例 (法60，令76)

　国，地方公共団体および一定の公共法人等については，特別な法令により決算の処理方法等が定められており，原則的な申告期限および納期限（課税期間の末日から2か月以内）では対応することが困難な事情があります。そこで，この2か月以内という期限を，国については5か月以内，地方公共団体については6か月以内（地方公営企業については3か月以内），一定の公共法人等については6か月以内で承認を受けた期間内，とする特例が設けられています。

第14節　総額表示 (法63)

1．総額表示の義務付け

　課税事業者は，「不特定かつ多数の者」に「取引成立前に価格を表示する」ときは，消費税額および地方消費税額を含めた取引価格の総額を表示しなければなりません。総額表示の義務付けは，消費者に対する価格表示を明確にし，事前に消費税額を含む価格を一目でわかるようにすることを目的として設けられた制度です。

2．総額表示の記載方法

(1)　総額表示の表示例

　総額表示には次のような表示方法があります。

＜税抜価格15,000円の場合の表示方法＞

16,500円	16,500円（税込）	16,500円 （税抜価格15,000円）

16,500円 （うち消費税額1,500円）	16,500円 税抜価格15,000円 消費税額　1,500円

(2)　総額表示に該当しない場合の表示例

　次に掲げる表示方法は，総額表示とは認められません。税抜表示であるのか税込表示であるのか，消費者に誤認を与えるような表示方法は，"価格表示を明確にする"という総額表示義務の観点から問題が生じることがあるので注意が必要です。

税抜15,000円＋税

15,000円（税抜）

税抜15,000円
税　　1,500円

＜1円未満の端数が生じたとき＞

　総額表示の義務化に伴い税込価格の設定を行う場合において，税込価格に1円未満の端数が生じるときは，次のいずれの方法で処理しても差し支えありません。

税抜価格95円の場合の処理方法

① 端数を四捨五入する方法

105円

105円
（税抜価格95円）

105円
税抜価格95円
消費税　10円

② 端数を切り捨てる方法

104円

104円
（税抜価格95円）

104円
税抜価格95円
消費税　9円

③ 端数を切り上げる方法

105円

105円
（税抜価格95円）

105円
税抜価格95円
消費税　10円

④ 端数処理を行わず，円未満の端数を表示する方法

104.5円

104.5円
（税抜価格95円）

104.5円
税抜価格95円
消費税　9.5円

(3) 総額表示の対象となるもの

① 会員制の店舗等における価格表示

　　会員のみが利用できる会員制の店舗等であっても，スポーツクラブやレンタルビデオ店のように，不特定かつ多数の者を対象として会員の募集を行っている場合には，総額表示が義務付けられます。

② 単価，手数料率等の表示

　　商品やサービスの単価・手数料率等を表示する場合など，最終的な取引価格そのものは表示していなくても，事実上，価格を表示しているのに等しい場合には，総額表示が義務付けられます。

	総額表示が義務付けられる単価等				総額表示	
一定単価での価格表示	肉の量り売り（8%）	100g	200円	→	100g	216円
	ガソリン（10%）	1リットル	100円	→	1リットル	110円
	旅館・レンタルビデオ（10%）	1泊2日	10,000円	→	1泊2日	11,000円
取引金額の一定割合(○%)と表示されている	不動産仲介手数料（10%）	売買価格の3.00%		→	売買価格の3.30%	
	有価証券売買手数料（10%）	売買価格の1.00%		→	売買価格の1.10%	

　なお，取引価額の一定割合(○%)を手数料やサービス料として受け取る事業者が，その基礎となる取引価額を総額表示（税込価格で表示）する場合には，手数料やサービス料の割合（○%）を税込に変更する必要はありません。

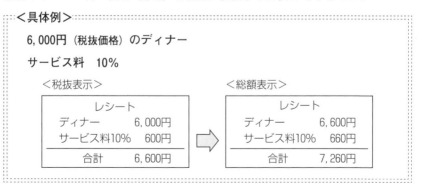

......＜具体例＞...

6,000円（税抜価格）のディナー

サービス料　10%

　　＜税抜表示＞　　　　　　　　　　　　　　＜総額表示＞

レシート	
ディナー	6,000円
サービス料10%	600円
合計	6,600円

レシート	
ディナー	6,600円
サービス料10%	660円
合計	7,260円

⑷　総額表示の対象外

　総額表示は，「不特定かつ多数の者」に，「取引成立前に価格を表示する」場合を対象としているので，特定の者を対象とした取引や，もともと価格表示をしていない場合は，総額表示の対象外となります。

①　もっぱら事業者を相手として行う取引における価格表示

②　消費者に対して直接販売しない小売業者以外の者（製造業者，卸売業者など）が設定する希望小売価格

　(注)　ただし，小売店がその希望小売価格をそのまま販売価格として店頭などに表示する場合には，その価格は総額表示義務の対象となります。

③　スーパーマーケットなどで，値引販売を行う際に表示される割引率または割引額（タイムサービスの値引き表示）

④　価格表示がない場合（「特別セール価格」または「時価」と表示されている場合を含む）

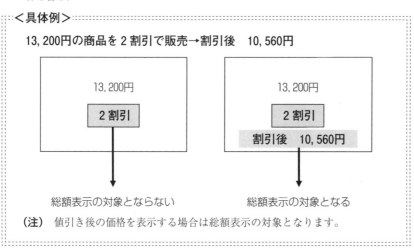

＜具体例＞

13,200円の商品を 2 割引で販売→割引後　10,560円

総額表示の対象とならない　　　総額表示の対象となる

(注)　値引き後の価格を表示する場合は総額表示の対象となります。

⑤　口頭による価格の提示

⑥　特定の者に対して作成する見積書や契約書，決済の段階で作成する請求書や領収書等

＜総額表示の対象となる表示媒体＞

事業者が消費者に対して価格を表示する場面には，商品等の選択時（値札等）と代金の決済時（レシート等）の2つがあります。総額表示の義務付けの対象となるのは商品等の選択時です。したがって，商品選択時，つまり「取引成立前」の価格が表示される媒体であれば，すべて総額表示の対象となります。

具体例は，以下のとおりです。

① 値札，商品陳列棚，店内表示などによる価格の表示

② 商品，容器または包装による価格の表示およびこれらに貼付した物による価格の表示

③ チラシ，パンフレット，商品カタログ，説明書面その他これらに類する物による表示（ダイレクトメール等によるものを含む）

④ ポスター，看板，ネオンサイン，アドバルーンその他これらに類する物による価格の表示

⑤ 雑誌その他の出版物，放送，映写または電光による価格の表示

⑥ 情報処理の用に供する機器による価格の表示（インターネット，電子メール等によるものを含む）

(注) 総額表示をしていない商品・カタログなどでも，訂正表を挟み込むまたは訂正シールを貼るなどの処置が施されている場合には総額表示されているとみなされます。

『第3章』

輸入取引に係る消費税

第1節 輸入取引に係る納税義務者

1. 課税の対象 (法4②)

(1) 課税の対象

輸入取引は，保税地域から引き取られる外国貨物のすべてが課税の対象となります（第2章第1節参照）。国内取引のように「事業として」,「対価を得て」行われるものに限定されません。

したがって，貿易により輸入される貨物のほか，海外旅行の帰国の際に国内に持ち込むお土産品も課税の対象となります。

(2) 保税地域から引き取られる外国貨物の範囲 (基通5－6－1，法4⑥，輸入品に対する内国消費税の徴収等に関する法律5①②)

輸入取引の課税の対象となる「保税地域から引き取られる外国貨物」には，保税地域から引き取ったとみなされる貨物も含まれます。ここで保税地域から引き取ったとみなされる場合とは，保税地域以外の場所から輸入する場合（郵便物，携帯品）や，外国貨物を保税地域において消費または使用する場合があります。

ただし，外国貨物を課税貨物の原材料として消費または使用する場合には，その後当該課税貨物が引き取られるときに課税がされるので，二重課税を回避するため課税されません。

176

課税の対象

引取りとみなす場合	保税地域以外の場所から輸入する場合（携帯品，国際郵便物など）	輸徴法5①
	保税展示場または総合保税地域において外国貨物が販売された場合	輸徴法5①
	外国貨物が保税地域において消費または使用された場合	法4⑥
	外国貨物に係る対価が無償の場合	基通5-6-2

→ 課税の対象

引取りとみなさない場合	外国貨物が課税貨物の原料または材料として消費または使用された場合(注)	法4⑥
	保税地域において外国貨物が災害等により亡失し，または減失した場合	基通5-6-4
	関税法の規定により税関職員が採取した外国貨物の見本を検査のため消費または使用する場合	令7一
	食品衛生法，植物防疫法，その他法律の規定により公務員が収去した外国貨物を消費または使用する場合	令7二

→ 課税の対象外

(注) ただし，上記により加工または製造された課税貨物を保税地域から引き取る場合は課税の対象となります（基通5－6－5）。

2. 納税義務者 (法5)

輸入取引の納税義務者は，外国貨物を保税地域から引き取る者です。

国内取引では，納税義務者は事業者に限定されますが，輸入取引については，個人の消費者が輸入する場合も納税義務者となります。

輸入取引の納税義務者

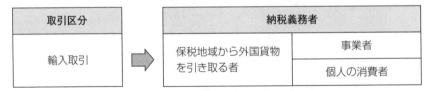

取引区分	納税義務者	
輸入取引	保税地域から外国貨物を引き取る者	事業者
		個人の消費者

第2節　非課税となる輸入取引 （法6）

　輸入取引についても，国内取引とのバランスを考慮して非課税の規定が設けられています。保税地域から引き取られる外国貨物のうち次の図に掲げるものについては消費税は課されません。

非課税となる輸入取引

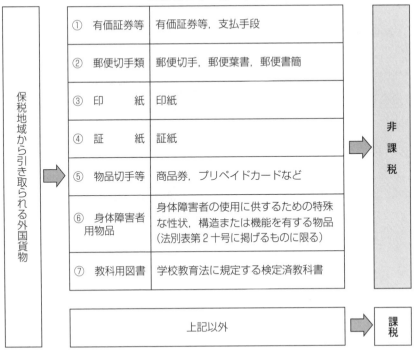

保税地域から引き取られる外国貨物

①	有価証券等	有価証券等，支払手段
②	郵便切手類	郵便切手，郵便葉書，郵便書簡
③	印　　紙	印紙
④	証　　紙	証紙
⑤	物品切手等	商品券，プリペイドカードなど
⑥	身体障害者用物品	身体障害者の使用に供するための特殊な性状，構造または機能を有する物品（法別表第2十号に掲げるものに限る）
⑦	教科用図書	学校教育法に規定する検定済教科書

→ 非課税

上記以外

→ 課税

第3節　輸入取引の納税地 (法26)

輸入取引の消費税の納税地は，その保税地域の所在地です。

第4節　輸入取引に係る課税標準および税率 (法28, 29)

1．課税標準 (法28④)

　保税地域から引き取られる課税貨物の課税標準は，関税課税価格（いわゆるCIF価格）に保税地域からの引取りに係る消費税以外の個別消費税等の額および関税の額を加算した金額です。

　CIF価格には，商品に係る運送費，保険料などが含まれます。

| 課税標準 | ⇒ | 関税課税価格
（CIF価格） | + | 消費税以外の
個別消費税等
の額 | + | 関税の額 |

関税定率法に規定する課税価格の計算方法に準じて算出した価格

酒税，たばこ税，揮発油税，地方道路税，石油ガス税，石油石炭税　（通則法2三）

2．税　　率 (法29)

　消費税の税率は，7.8％です。地方消費税の税率は，消費税額の22／78（消費税率に換算すると2.2％）ですので，合わせて10％になります。また，軽減対象課税貨物（飲食料品に該当する課税貨物）の税率は6.24％で，地方消費税率は1.76％です。

第5節　輸入取引に係る申告および納付 (法47, 50, 51)

　輸入取引に係る申告および納付の方法には，「申告納税方式」と「賦課課税方式」があります。

申告納税方式と賦課課税方式

申告納税方式	納税者が消費税額を自ら計算し，申告および納付を行う方式		
賦課課税方式	税務官庁によって消費税額が確定し，徴収される方式	①	入国する者が輸入する携帯品（土産品など）
		②	郵便物
		③	関税法その他の法律の規定により賦課課税方式が採用されるもの

1．申告納税方式が適用される課税貨物

　申告納税方式には，一般申告と特例申告があります。

(1)　一般申告

　一般申告の場合は，課税貨物を保税地域から引き取るときまでに，税関長に申告書を提出し，その申告書に記載した消費税を国に納付しなければなりません。なお，税関長に納期限の延長を受けたい旨の申請をし，担保を提供したときには，最長3か月間の延長を受けることができます。

(2)　特例申告

　特例申告の場合は，課税貨物を引き取る月の翌月末日までに，税関長に申告書を提出し，その申告書に記載した消費税を国に納付しなければなりません。なお，税関長に納期限の延長を受けたい旨の申請をし，担保を提供したときには，最長2か月間の延長を受けることができます。

⑶ 納期限の延長方式

納期限の延長には,「個別延長方式」と「包括延長方式」の2つの方法があります。

個別延長方式とは,課税貨物を引き取るたびに,一つ一つの課税貨物について納期限の延長を受ける方式をいいます。

包括延長方式とは,引き取った課税貨物を月ごとにひとまとめにして納期限の延長を受ける方式をいいます。

納期限の延長

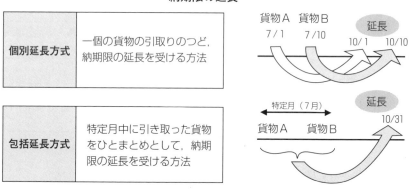

2. 賦課課税方式が適用される課税貨物

賦課課税方式が適用される課税貨物を保税地域から引き取ろうとする者は,一定の事項を記載した申告書を税関長に提出しなければなりません。当該課税貨物に係る消費税は,その保税地域の所在地を所轄する税関長が引取りの際に徴収します。なお,納期限の延長は認められていません。

輸入取引に係る申告および納付

区　　　分		申告期限	納期限	納期限の延長
申告納税方式	一般申告	保税地域からの引取りの時まで	保税地域からの引取りの時まで	最大3か月延長可
	特例申告	保税地域からの引取りの日の翌月末日まで	保税地域からの引取りの日の翌月末日まで	最大2か月延長可
賦課課税方式		―	保税地域からの引取りの時に税関長が徴収	延長なし

『第4章』

地 方 消 費 税

第1節　消費税（国税）と地方消費税

消費税の税率と，その内訳は下記のとおりです。

① 　②以外：10％（消費税率（国税）7.8％，地方消費税率2.2％）

② 　軽減対象課税資産または軽減対象課税貨物：8％（消費税率（国税）6.24％，

地方消費税率1.76％）

第2節　地方消費税の納税義務者

1．国内取引に係る地方消費税（譲渡割）

　消費税の課税事業者は，個人の場合はその住所等，法人の場合は本店所在地
等の都道府県に，地方消費税を納める義務があります。

2．輸入取引に係る地方消費税（貨物割）

　課税貨物を保税地域から引き取る者は，その保税地域が所在する都道府県
に，地方消費税を納める義務があります。

第3節　地方消費税の税額計算

地方消費税の税率とその内訳は下記のとおりです。

① 　②以外：課税標準の7.8％が消費税額（国税），2.2％が地方消費税額（合計すると課税標準の10％）

② 　軽減対象課税資産または軽減対象課税貨物：課税標準の6.24％が消費税額（国税），1.76％が地方消費税額（合計すると課税標準の8％）

第4節　地方消費税の申告および納付

　地方消費税（譲渡割）の申告書は，当分の間，消費税の申告書と併せて消費税の納税地の所轄税務署長に提出し，地方消費税額は消費税額と併せて国に納付することとされています。

　また，課税貨物を保税地域から引き取る者は，地方消費税（貨物割）の申告書を消費税の申告書と併せて税関長に提出し，地方消費税額を納付することとされています。

　なお，地方消費税についても，大法人は，令和2年4月1日以後に開始する課税期間について提出する申告書およびその添付書類を，消費税と併せて電子情報処理組織を使用する方法により提出することが義務化されています（第2章第12節．申告参照）。

『第5章』
消費税等の経理処理

第1節　経理処理の方式

1．概　　要

　消費税等の経理方法には，「税込方式」と「税抜方式」があります。課税事業者は，任意でいずれかの方式を選択することができますが，免税事業者は「税込方式」しか選択できません。

2．税込方式

　税込方式とは，消費税等を含めた金額で処理する方法です。

3．税抜方式

　税抜方式とは，取引の対価を税抜価額と消費税等に区分し，売上げに係る消費税等を「仮受消費税等」，仕入れに係る消費税等を「仮払消費税等」として処理する方法です。

```
┌┄┄┄┄<消費税等の経理方法の具体例>┄┄┄┄┄┄┄┄┄┄┄┄┄┄┄┄┄┄┄┄┐
┊   卸売業者である課税事業者が，商品を仕入業者から1,100円（税込）┊
┊  で仕入れ，小売業者に1,650円（税込）で販売した（すべて現金で決済）。┊
┊                                                              ┊
┊           《税込方式》          │        《税抜方式》           ┊
┊  仕入時  （仕      入）1,100    │  （仕      入）1,000          ┊
┊                               │  （仮払消費税等）  100         ┊
┊         ／（現      金）1,100  │  ／（現      金）1,100        ┊
┊  販売時 （現      金）1,650    │  （現    金）1,650           ┊
┊         ／（売      上）1,650  │  ／（売      上）1,500        ┊
┊                               │  （仮受消費税等）  150         ┊
└┄┄┄┄┄┄┄┄┄┄┄┄┄┄┄┄┄┄┄┄┄┄┄┄┄┄┄┄┄┄┄┄┄┄┄┄┄┄┄┄┘
```

4．税込方式と税抜方式の併用

　原則として，「税込方式」と「税抜方式」の併用は認められません。しかし，売上げに係る消費税等につき「税抜方式」を選択している場合には，仕入れに係る消費税等につき，①棚卸資産の取得，②固定資産・繰延資産の取得，③経費の支出の区分ごとに「税込方式」と「税抜方式」を選択することが認められています。なお，これらの区分のうち，少なくとも１つは「税抜方式」を選択しなければなりません。

5．税込方式と税抜方式の違い

(1)　総　　論

　消費税等については，「税込方式」と「税抜方式」のどちらを選択しても納税額は同じになります。しかし，法人税や所得税の計算上は，消費税等の経理方法の違いにより，その処理に違いが生じるケースがあります。

(2)　「税込方式」と「税抜方式」で違いが生じるケース

　法人税や所得税の計算上は，「税込方式」と「税抜方式」で違いが生じるケースがあります。

　例えば，法人税と所得税では，取得価額が10万円未満の減価償却資産につい

ては，少額減価償却資産として，その取得価額の全額を費用計上することが認められています。この場合，10万円未満か否かの判定は，「税込方式」では税込金額，「税抜方式」では税抜金額で行います。つまり，同じ額の資産を取得した場合でも，「税込方式」では資産計上，「税抜方式」では費用計上という違いが生じる場合があります。

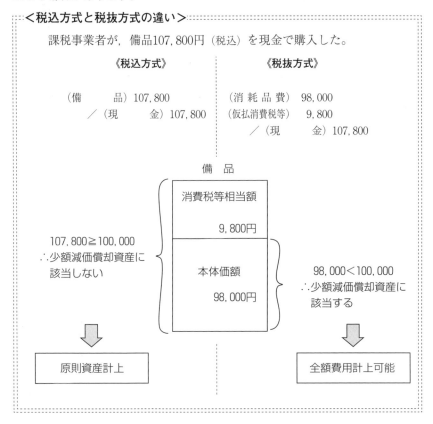

＜税込方式と税抜方式の違い＞

課税事業者が，備品107,800円（税込）を現金で購入した。

《税込方式》

（備　　　品）107,800
　　／（現　　　金）107,800

《税抜方式》

（消 耗 品 費）98,000
（仮払消費税等）9,800
　　／（現　　　金）107,800

備　品

| 消費税等相当額 |
| 9,800円 |
| 本体価額 |
| 98,000円 |

107,800≧100,000
∴少額減価償却資産に該当しない

98,000＜100,000
∴少額減価償却資産に該当する

原則資産計上

全額費用計上可能

6. 令和 5 年10月 1 日以後における適格請求書発行事業者以外の者から課税仕入れを行った場合の経理処理 （「消費税法等の施行に伴う法人税の取扱いについて」）

令和 5 年10月 1 日以後に適格請求書発行事業者以外の者から課税仕入れを

行った場合，その仕入に係る消費税額等は仕入税額控除の対象となりません。そのため，税抜方式の場合でも，適格請求書発行事業者以外の者からの課税仕入れについてはその消費税はないこととなります。

＜消費税額等の経理方法の具体例＞

卸売業者である課税事業者が，商品を適格請求書発行事業者以外の者から1,100円（税込）で仕入れ，小売業者に1,650円（税込）で販売した（すべて現金で決済）。

＜税込方式＞	＜税抜方式＞
仕入時 （仕　　　入）1,100	（仕　　　入）1,100
／（現　　　金）1,100	／（現　　　金）1,100
販売時 （現　　　金）1,650	（現　　　金）1,650
／（売　　　上）1,650	／（売　　　上）1,500
	（仮受消費税等）　150

　なお，令和11年9月30日までは経過措置により適格請求書発行事業者以外の者からの課税仕入れについても段階的な仕入税額控除が認められます（第2章第7節1，(6)④参照）ので，例えば80％控除できる経過措置期間の会計処理は以下となります。ただし，税抜方式について，事務負担軽減の観点から経過措置期間中も，仮払消費税等がないものとして処理する方法も認められています。

＜消費税額等の経理方法の具体例＞

　　令和5年12月1日に卸売業者である課税事業者が，商品を適格請求書発行事業者以外の者から1,100円（税込）で仕入れ，小売業者に1,650円（税込）で販売した（すべて現金で決済）。

<table>
<tr><td colspan="3">＜税込方式＞</td><td colspan="3">＜税抜方式＞</td></tr>
<tr><td>仕入時</td><td>（仕　　入）1,100</td><td></td><td>（仕　　入）1,020</td></tr>
<tr><td></td><td>　／（現　　金）1,100</td><td></td><td>（仮払消費税等）　80</td></tr>
<tr><td></td><td></td><td></td><td>　／（現　　金）1,100</td></tr>
<tr><td>販売時</td><td>（現　　金）1,650</td><td></td><td>（現　　金）1,650</td></tr>
<tr><td></td><td>　／（売　　上）1,650</td><td></td><td>　／（売　　上）1,500</td></tr>
<tr><td></td><td></td><td></td><td>（仮受消費税等）　150</td></tr>
</table>

(注)　税込経理の場合にも，経過措置の適用を受けるときには上記のうち80円相当が仕入税額控除の対象となります。

　また，簡易課税制度または2割特例制度を適用し，かつ税抜方式を採用している場合には，継続適用を条件として，適格請求書発行事業者以外の者からの課税仕入れについて支払対価の10％（軽減税率対象は8％）を仮払消費税等とする処理も認められています。

第2節　控除対象外消費税額等

1．控除対象外消費税額等とは

　消費税等の計算上，課税売上割合が95％(注)未満の場合，仕入れに係る消費税等の一部は仕入税額控除の対象になりません。消費税の経理処理につき税抜方式を取った場合，この控除の対象にならなかった仕入れに係る仮払消費税等は，仮受消費税等と相殺することができません。この控除の対象とならなかった仕入れに係る消費税等を「控除対象外消費税額等」といいます。

　「控除対象外消費税額等」については，所得税法および法人税法でその取扱いが定められています。

　なお，課税売上割合が95％以上(注)の場合には，仕入れに係る消費税等の全

額を仕入税額控除の対象にすることができますので，「控除対象外消費税額等」
は生じません。

(注) その課税期間における課税売上高が年換算で5億円を超える場合には，95％を
100％と読み替えます。

2．控除対象外消費税額等の取扱い

(1) 控除対象外消費税額等が生ずる場合

消費税等の経理方法を税込方式とした場合では，すべての取引が税込金額で
処理されており，「仮払消費税等」は生じません。したがって，控除対象外消費
税額等につき，特別な取扱いは必要ありません。

これに対し税抜方式では，課税売上割合が95％(注)未満である場合には，仮
払消費税等の一部が「控除対象外消費税額等」となります。法人税と所得税で
は，資産に係る「控除対象外消費税額等」と経費に係る「控除対象外消費税額
等」について，それぞれ取扱いを定めています。

(注) その課税期間における課税売上高が年換算で5億円を超える場合には，95％を
100％と読み替えます。

控除対象外消費税額等判定フローチャート

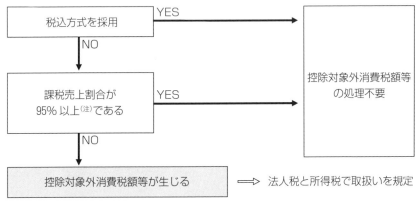

(注)　その課税期間における課税売上高が年換算で5億円を超える場合には95％を100％と読み替えます。

(2)　資産に係る「控除対象外消費税額等」

資産に係る「控除対象外消費税額等」は，その資産の取得価額に含めるか，「繰延消費税額等」として資産計上します。繰延消費税額等とした場合には，5年以上の期間で償却します。

ただし，次のいずれかの場合には，資産の取得時における費用とすることが認められます。

(イ)　課税売上割合が80％以上である場合

(ロ)　棚卸資産の取得時に生じたものである場合

(ハ)　個々の資産に係る「控除対象外消費税額等」が20万円未満である場合

資産に係る「控除対象外消費税額等」

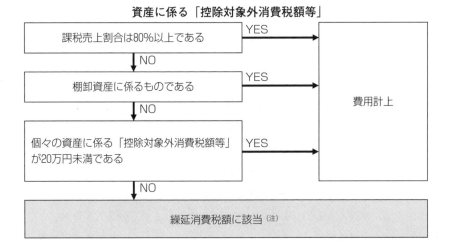

(注)　資産の取得価額に算入することも認められます。

⑶　繰延消費税額等の償却限度額の計算

　㋑　資産を取得した事業年度

$$償却限度額 ＝ 繰延消費税額等 \times \frac{当期の月数}{60} \times \frac{1}{2}$$

　　(注)　資産の取得時期を事業年度の中途とみなし，2分の1を乗じます。

　㋺　翌事業年度以降

$$償却限度額 ＝ 繰延消費税額等 \times \frac{当期の月数}{60}$$

＜繰延消費税額等の経理方法＞

　①　資産計上時

　　（繰延消費税額等）　×××　／　（仮払消費税等）　×××

　②　償　却　時

　　（繰延消費税額等償却）　×××　／　（繰延消費税額等）　×××

⑷　経費に係る「控除対象外消費税額等」

　経費に係る「控除対象外消費税額等」は，資産計上せずに費用となります。

3．控除対象外消費税額等の取扱いを設けている理由

⑴　資産に係る「控除対象外消費税額等」

　例えば，建物を2,000万円（税抜）で取得したとします。税込方式を選択している場合の取得価額は，2,200万円（税込）となります。一方で税抜方式を選択している場合の取得価額は，2,000万円（税抜）となります。

　税込方式では，建物の取得価額に含まれている消費税相当額200万円は減価償却費として費用化されていきます。これに対し，税抜方式より仮払消費税等とされた200万円を建物取得時の費用とすることを認めると，経理処理の違いにより，経費計上のタイミングに大きな差異が発生することになります。そこ

で税抜方式を選択している場合には，建物に係る「控除対象外消費税額等」を
資産計上することにより，税込方式との調整を図ることにしています。

(2)　経費に係る「控除対象外消費税額等」

　法人税では，交際費等について損金不算入の規定が適用されますが，この場
合の交際費等の額は，税込方式では税込金額となり，税抜方式では税抜金額と
なります。よって，支出した金額が同じであっても，税抜方式の方が税込方式
よりも交際費等の額が少なく，結果として，損金不算入額が少なくなります。
そこで交際費等に係る「控除対象外消費税額等」を交際費等とすることにより，
税込方式との調整を図ることとしています。

<＜経理処理の違いによる「控除対象外消費税額等」の取扱い＞>

（例1）　資産に係る「控除対象外消費税額等」

　建物2,750万円（税込）を適格請求書発行事業者から取得した。この
課税事業者の課税売上割合は60％である。当期の月数は12か月とする。

《税込方式》	《税抜方式》
取得価額＝2,750万円（税込）	取得価額＝2,500万円（税抜）
⇒消費税相当額250万円は，建物の減価償却費として費用化される。	⇒仮払消費税等250万円のうち，一部は繰延消費税額等の償却費として費用化される。

① 繰延消費税額等の計算

$$250万円 - \underset{控除できる消費税額}{\underline{250万円 \times 60\%}} = 100万円（繰延消費税額等）$$

② 繰延消費税額等の償却

$$100万円 \times \frac{12}{60} \times \frac{1}{2} = 10万円（当期償却費）$$

（例2）経費に係る「控除対象外消費税額等」

　当期の支出交際費等の額は，適格請求書発行者に対する支払った
1,100,000円（税込）で，飲食費はないものとする。この課税事業者は
資本金2億円の法人で，課税売上割合は70％とする。

① 税 込 方 式

損金不算入額 = 1,100,000円 （消費税相当額100,000円を含む）

② 税 抜 方 式

$100,000円 - \underline{100,000円 \times 70\%} = 30,000円$ （控除対象外消費税額等）
　　　　　　↓
　　　控除できる消費税額

損金不算入額 = 1,030,000円 （1,000,000円 + 30,000円）

　控除対象外消費税額等として経費に計上される金額（30,000円）について支出交際費等とし，損金不算入額の対象とすることで，調整する。

第3節　消費税等の納付・還付の処理

1．納付する場合の経理方法

⑴　税 込 方 式

　税込方式では，確定申告により納付する消費税等は租税公課として処理します。

　これは中間申告により納付する場合も同様です。

⑵　税 抜 方 式

　税抜方式では，確定申告および仮決算による中間申告により納付する消費税等の処理は，仮払消費税等と仮受消費税等を相殺して処理します。

　なお，相殺後の金額から納付する消費税等を差し引いた残額がある場合には，雑損失または雑収入として処理します。

　なお，前課税期間実績に基づく中間申告により納付する場合には，仮払消費税等として処理します。

┌─＜具体例＞─────────────────────────────────┐

《税込方式》　　　　　　　　　　**《税抜方式》**

確定申告による納付　　　　　　　確定申告による納付

（租　税　公　課）××　　　　　（仮受消費税等）××

　　　／（現預金または未払金）××　　　　／（仮払消費税等）××

　　　　　　　　　　　　　　　　　　　　　（現預金または未払金）××

中間申告による納付　　　　　　　中間申告による納付

（租　税　公　課）××　　　　　（仮払消費税等）××

　　　／（現　預　金）××　　　　　／（現　預　金）××

(注) 前課税期間実績に基づく中間申告による納付時には，貸借差額は生じません。

└─────────────────────────────────────┘

２．還付を受ける場合の経理方法

(1) 税 込 方 式

　税込方式では，還付を受ける消費税等は雑収入として処理します。

(2) 税 抜 方 式

　税抜方式では，還付を受ける消費税等の処理は，仮払消費税等と仮受消費税等を相殺して処理します。なお，相殺後の差額から還付を受ける消費税等を差し引いた残額がある場合には，雑損失または雑収入として処理します。

┌─＜具体例＞─────────────────────────────────┐

《税込方式》　　　　　　　　　　**《税抜方式》**

（現預金または未収金）××　　　　（仮受消費税等）××

　　　／（雑　収　入）××　　　　（現預金または未収金）××

　　　　　　　　　　　　　　　　　　　　／（仮払消費税等）××

└─────────────────────────────────────┘

3. 消費税等の計上時期

(1) 税込方式

消費税等を納付する場合の「租税公課」，または還付を受ける場合の「雑収入」の計上時期は，原則として消費税等の申告書を提出した事業年度となります。

ただし，納付する消費税等を未払計上した場合，または還付を受ける消費税等を未収計上した場合には，その計上をした事業年度に「租税公課」または「雑収入」として計上します。

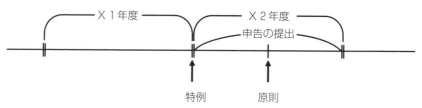

原則……当期分の申告書を提出した事業年度（Ｘ２年度）

特例……当期末に納付額を未払計上，または還付額を未収計上した場合には，その計上をした事業年度（Ｘ１年度）

(2) 税抜方式

税抜方式を選択している場合には，「仮払消費税等」と「仮受消費税等」の相殺しか行われないため，納付をする消費税等，または還付を受ける消費税等が費用や収入として計上されることはありません。したがって，消費税等の計上時期を検討する必要はありません。

なお，仮受消費税等と仮払消費税等を相殺した後に差額が生ずる場合には，その消費税等に係る課税期間を含む事業年度において，「租税公課」または「雑収入」を計上します。

＜監修者紹介＞

税理士法人　山田＆パートナーズ

〈国内拠点〉

【東 京 本 部】〒100-0005　東京都千代田区丸の内１-８-１　丸の内トラストタワーＮ館
８階　TEL：03-6212-1660

【札幌事務所】〒060-0001　北海道札幌市中央区北一条西４-２-２　札幌ノースプラザ８階

【盛岡事務所】〒020-0045　岩手県盛岡市盛岡駅西通２-９-１　マリオス19階

【仙台事務所】〒980-0021　宮城県仙台市青葉区中央１-２-３　仙台マークワン11階

【北関東事務所】〒330-0854　埼玉県さいたま市大宮区桜木町１-７-５　ソニックシティ
ビル15階

【横浜事務所】〒220-0004　神奈川県横浜市西区北幸１-４-１　横浜天理ビル４階

【新潟事務所】〒951-8068　新潟県新潟市中央区上大川前通七番町1230-７　ストークビ
ル鏡橋10階

【金沢事務所】〒920-0856　石川県金沢市昭和町16-１　ヴィサージュ９階

【長野事務所】〒380-0823　長野県長野市南千歳１-12-７　新正和ビル３階

【静岡事務所】〒420-0853　静岡県静岡市葵区追手町１-６　日本生命静岡ビル５階

【名古屋事務所】〒450-6641　愛知県名古屋市中村区名駅１-１-３　JRゲートタワー41階

【京都事務所】〒600-8009　京都府京都市下京区四条通室町東入函谷鉾町101番地　アーバ
ンネット四条烏丸ビル５階

【大阪事務所】〒541-0044　大阪府大阪市中央区伏見町４-１-１　明治安田生命大阪御堂
筋ビル12階

【神戸事務所】〒650-0001　兵庫県神戸市中央区加納町４-２-１　神戸三宮阪急ビル14階

【広島事務所】〒732-0057　広島県広島市東区二葉の里３-５-７　グラノード広島６階

【高松事務所】〒760-0025　香川県高松市古新町３-１　東明ビル６階

【松山事務所】〒790-0003　愛媛県松山市三番町４-９-６　NBF松山日銀前ビル８階

【福岡事務所】〒812-0011　福岡県福岡市博多区博多駅前１-13-１　九勧承天寺通りビル
５階

【南九州事務所】〒860-0047　熊本県熊本市西区春日３-15-60　JR熊本白川ビル５階

【鹿児島事務所】〒892-0847　鹿児島県鹿児島市西千石町11-21　鹿児島MSビル５階

〈海外拠点〉

【シンガポール】1 Scotts Road #21-09 Shaw Centre Singapore 228208

【中国（上海）】上海市静安区南京西路1515号　静安嘉里中心１座12階1206室

【ベトナム（ハノイ）】26th floor West Tower, Lotte Center Hanoi, 54 Lieu Giai, Cong Vi,
Ba Dinh, Hanoi, Vietnam

【ベトナム（ホーチミン）】 19th floor, Sun Wah Tower, 115 Nguyen Hue, Ben Nghe, Quan 1, Ho Chi Minh, Vietnam
【アメリカ（ロサンゼルス）】1411 W. 190th Street, Suite 370, Gardena, CA 90248 USA
【アメリカ（ホノルル）】 1441 Kapiolani Blvd., Suite 910, Honolulu, HI 96814 USA
【台湾（台北）】105001　台湾市松山區復興北路369號６樓之７　※アライアンス事務所

〈沿　革〉

1981年４月　公認会計士・税理士　山田淳一郎事務所設立
1995年６月　公認会計士・税理士　山田淳一郎事務所を名称変更して山田＆パートナーズ会計事務所となる。
2002年４月　山田＆パートナーズ会計事務所を組織変更して税理士法人山田＆パートナーズとなる。
2005年１月　名古屋事務所開設
2007年１月　関西（現大阪）事務所開設
2010年12月　福岡事務所開設
2012年６月　東北（現仙台）事務所開設
2012年11月　札幌事務所開設
2014年１月　京都事務所開設
2014年11月　金沢事務所・静岡事務所・広島事務所開設
2015年11月　神戸事務所開設
2016年７月　横浜事務所開設
2016年10月　北関東事務所開設
2017年７月　盛岡事務所開設
2017年11月　新潟事務所開設
2018年４月　高松事務所開設
2019年７月　松山事務所開設
2020年７月　南九州事務所開設
2022年１月　長野事務所開設
2023年７月　鹿児島事務所開設

〈業務概要〉

　法人対応，資産税対応で幅広いコンサルティングメニューを揃え，大型・複雑案件に多くの実績がある。法人対応では企業経営・財務戦略の提案に限らず，Ｍ＆Ａや企業組織再編アドバイザリーに強みを発揮する。また，個人の相続や事業承継対応も主軸業務の一つ，相続税申告やその関連業務など一手に請け負う。このほか医療機関向けコンサルティング，国際税務コンサルティング，新公益法人制度サポート業務にも専担部署が対応する。

＜編著者紹介＞

加藤　友彦（かとう　ともひこ）

税理士法人山田＆パートナーズ　パートナー　税理士

昭和43年東京都出身　早稲田大学卒業

平成9年山田＆パートナーズ会計事務所入所

主な著書：共著で『図解　国際税務「超」入門』（税務経理協会），『企業組織再編の会計と税務〔第8版〕』（税務経理協会），『逐条解説　組織再編税制の実務』（中央経済社），『病医院の相続・M&A・解散の税務 Q&A』（中央経済社），『Q&A 医療機関の組織変更の実務と税務〔第3版〕』（財経詳報社），『医療法人制度の実務 Q&A〔第2版〕』（中央経済社）など

＜執筆者一覧＞（50音順）

大城陵司，佐々木希絵，竹内あかね，平井伸央，山下麻衣，山田順子，吉村優

図解　消費税法「超」入門
〔令和6年度改正〕

2024年8月10日　初版発行

監 修 者	税理士法人山田&パートナーズ
編 著 者	加藤友彦
発 行 者	大坪克行
発 行 所	株式会社税務経理協会

〒161-0033東京都新宿区下落合1丁目1番3号
http://www.zeikei.co.jp
03-6304-0505

印　　刷	株式会社　技秀堂
製　　本	株式会社　技秀堂
デ ザ イ ン	原宗男（カバー）

本書についての
ご意見・ご感想はコチラ

http://www.zeikei.co.jp/contact/

ISBN 978-4-419-07227-8　C3032